SAKURA HIDEN

SHIREN HARUKAZE NI NOSETE

NARUTO
-ナルト-

サクラ秘伝

思《し》恋《れん》、春風にのせて

SAKURA HIDEN

岸本斉史
大崎知仁

SAKURA HIDEN

思恋、春風にのせて

目次

人物紹介
木ノ葉隠れの里の忍
春《はる》野《の》サクラ
HARUNO SAKURA
木ノ葉隠れの里の忍
山《やま》中《なか》いの
YAMANAKA INO
木ノ葉隠れの里の忍
サイ
SAI
木ノ葉隠れの里の忍
うちはサスケ
UCHIHA SASUKE
積《つみ》木《き》キド
木ノ葉隠れの里の暗部
TSUMIKI KIDO
マギレ
木ノ葉隠れの里の暗部
MAGIRE

追憶

全部覚えてる。サスケくんに言われたこと。

——お前、うざいよ。

あのときは、ショックだったなあ。

でも、あのとき、いけなかったのは私。サスケくんの前で、なんか舞い上がっちゃって、言わなくていいことまで言っちゃって、それで、うざいよ。

うん、当たり前だよ。

——やっぱり……お前、うざいよ。

これは、サスケくんが里を抜けるとき。

このときも、私、ショックだった。でも、このあとで、サスケくんは、こう続けてくれたんだ。

——サクラ……

——ありがとう……

すごく救われた。「ありがとう」って一言《ひとこと》。あのあと、サスケくんは里を抜けて、ずーっと会えない日が続いたけど、私、あの「ありがとう」って一言があったから、サスケくんを信じていられた。

大変な戦い……ううん、大変なんて言葉じゃ言《い》い尽《つ》くせない、この世界が滅《ほろ》びちゃうほどの戦いが起こって、そこにサスケくんは戻ってきてくれた。

そして、戦いが終わって、サスケくんは旅に出た。

その旅についていきたいって、私、言ったら、サスケくん、

——お前はオレの罪《つみ》とは関係ない。

だって。

でも、そのあとに続けて、

——また今度な。

——ありがとう……

額《ひたい》を、トンってしてくれた。

また今度な。ありがとう。何度も、胸のなかで繰《く》り返《かえ》してるよ。トン、の感触も。

「うざいよ」から始まって、「また今度な」まで来たんだ。そう思うと、なんか心があったかくなる。

サスケくん。今どこにいるの？

サスケくん――

私、今ね――

第一章

1

資料を手に説明しているのは、女性の医療忍者だった。年は、サクラより二つほど下といったところか。

「――お配りした資料のデータを見てもわかる通り、心身の不調を訴《うった》える子どもの数は確実に減っています」

「導入から一年半、効果はきちんと上がっているというわけね」

サクラが言うと、説明係の医療忍者は、「はい、十分に」とうなずいた。緊張しているのか、少し頬《ほお》が赤い。

「症状が長引いて、対話によるカウンセリングでの改善が見られない場合は、院内の他の科とも連携して、薬の処方なども含めた対応をとるようにしています」

「問題ないんじゃない」

サクラの隣にいた、いのが言った。

サクラは「そうね」とうなずいてから、

「ただし、他の科との連携は、なるべくきめ細かく進めてください。少しの対話で改善しないからといって、薬による治療にパスするんじゃなく、まずはじっくりと子どもの話を聞いてあげること。『子ども心療室』の設立の趣旨《しゅし》はそもそもそこにありますから」

そう付け加えておいた。

そのあとも資料にもとづいた説明が続き、今後の方針を確認し合ったところで会議は終わった。

サクラといのは会議室を出た。木ノ葉《こは》病院内にある会議室だった。

「あの子、ちょっと緊張してたね」

廊下を歩きながら、いのが言った。

「説明してくれた子？　まだ慣れてないんじゃない。ああいう場に」

「それもあるだろうけど、憧《あこが》れのサクラ先輩が目の前にいたせいもあるんじゃないかな」

「なによそれ」

サクラが聞くと、いのはいたずらっぽく笑って言う。

「知らない？　あんたって後輩人気すごいんだよ。――医療忍者だけど戦えば強い。おまけに仕事もバリバリできて、しかも美人。そりゃ人気も出るでしょ」

私もあやかりたいなー、と笑ういのに、

「やめてよ」

サクラは苦笑《にがわら》いしてつっこむ。

しばらく友達モードで話したあと、いのが話題を仕事のほうに戻す。

「でも、ようやく軌道に乗ったって感じだね、子ども心療室」

「そうだね」とサクラもうなずく。

木ノ葉病院内に、子どもの心のケアを専門に担当する部署を作ってはどうか、と、サクラが上層部に提案したのは、二年ほど前、第四次忍界大戦《にんかいたいせん》が終結して、半年が過ぎた頃だった。

大筒木《おおつつき》カグヤの復活を、世界中の忍《しのび》が連合して阻止《そし》した、あの大戦——あまりに強大な敵に、世界は何度も絶望の淵《ふち》に落とされたが、それでもナルトを中心にした忍連合軍は折れず屈せず戦い抜き、カグヤの野望を打ち砕いた。

平和の訪れに、人々は歓喜した。世界は、救われたのだ。

やがて復興が始まり、大規模な戦闘で損傷した土地や建造物の修復が進められた。

サクラも医療忍者として、大勢の負傷した忍たちの治療にあたった。

大きな傷を負《お》った者も少なくなかったが、治療に訪れる人たちの表情はみな穏《おだ》やかだった。戦争が終わったという安心感のためだろう。

サクラがふと、

――子どもたちはどうなんだろう……?

と、考えたのは、たまたま病院で、赤ちゃんを抱いた紅《くれない》を見かけたときだった。

直接戦いに参加していない子どもたちは、肉体的には無傷かもしれない。しかし、心のほうはどうだろう。

いつ終わるとも知れない戦争は、幼い心に大きなストレスを与えたのではないだろうか。国土が崩壊《ほうかい》するさまを見て、あるいは近しい人の死を知って、心に傷を負っているのではないだろうか。

サクラは病院の来院者のデータを調べてみた。すると、大戦後、原因不明の体調不良を訴える子どもたちが多く来ているようだった。

放ってはおけない、とサクラは思った。

子どもたちは里の宝――これは三代目火影《ほかげ》のヒルゼンがよく口にしていた言葉だった。先輩の忍たちもみな、共通の認識としてこの言葉を胸に刻《きざ》んでいた。

病院内に専門職を置き、子どもたちの心のケアをする仕組みが作れないか、サクラはまず師匠《ししょう》である綱手《ツナデ》に相談してみた。

「いいと思う」と師匠は言った。「お前が主導で進めてみるんだ、サクラ」

師匠に背中を押され、サクラは準備に入った。専門職の要員確保とその養成。木ノ葉病院との連携や、下地作り。そして、どうやって予算をとりつけるか。やることは多く、とてもサクラ一人では無理だったが、同期の山中《やまなか》いのが手伝いを買って出てくれた。

「あんたって意外と真面目《まじめ》なとこあるからね。一人で抱《かか》えこんでパンクしたら可哀相《かわいそう》だから」

いのの協力もあり、『子ども心療室』は、半年の準備期間で導入にこぎつけることができた。

効果はすぐに見え始め、着実に上がっていった。それは今日受けた説明でも数値として示された。

「いのが手伝ってくれたおかげだよ。ありがと」

「特別ボーナスが出たら、なんかおごってよ」

いのの軽口に、サクラは吹き出した。

病院を出ると、いのが「お茶でもどう？」と誘ってきた。

だがサクラは、「ごめん」と両手を合わせる。

「今日はこのあとまとめておきたい資料があるんだ。また今度ね」

「わかった」

いのは言ったが、その顔に少し心配するような色があった。ちょっと頑張《がんば》りすぎじゃない？　と、その目が告げている。

サクラはそれに気づかなかったふりをして、「じゃあね」と手を振った。

繁華街《はんかがい》を一人で歩き出す。

午後の早い時間だが、街《まち》はにぎわっていた。

里に積もっていた雪もすっかり解《と》け、季節はもう春だ。道行く人たちも、重たいコートから解放されている。

「あれ？　サクラちゃん」

不意に、背後から声が聞こえた。よく知る声だ。

「ナルト！　ヒナタ！」

振り返ると、私服姿の二人がこちらに歩いてくる。

「なに？　デート？」

サクラは聞いた。

「そ。たまたま二人とも非番だったからよ」

「サクラちゃんは？」とヒナタ。

「私は病院で、いのと打ち合わせ」

「話は聞いてるってばよ。あー、例の、なんだっけ、子ども……えーと、なんとか室？」

「子ども心療室」と訂正してから、「今からなに？　ゴハン？」と聞いた。

「うん。一楽《いちらく》に」

ヒナタがうなずく。

「なあ」とそこへ、ナルトが耳打ちしてきた。

（サイから借りた『安安』にさ、デート代は男がもったほうがいいって書いてたんだけどよ、コース料理ってスゲー高《たけ》えんだな）

少し蒼《あお》ざめているナルトに、サクラはくすっと笑いつつ、

（いいのよ、背伸びしなくても）

と囁《ささや》き返しておいた。

「なんの話？」と、首をかしげるヒナタに、

「あー、やー、なんでもない、なんでもない」とナルトは笑い、「ラーメン楽しみだなー」

とお腹《なか》をさすってみせた。

ナルトのしぐさがおかしかったのか、ヒナタはぷっと吹き出した。微笑《ほほえ》ましい二人の様《よう》子《す》に、サクラの口元もほころぶ。

二人が里公認のカップルになって数か月が経《た》とうとしていた。

奥手のヒナタと、鈍感なナルトの関係は、近くにいてサクラもかなりやきもきさせられ

たが、めでたく結ばれた今は、それも楽しい思い出だった。

きっかけとなる事件が、この冬にあった。

月に住む大筒木最後の末裔《まつえい》、大筒木トネリが、ヒナタの妹ハナビをさらい、その白眼《びゃくがん》を奪《うば》って地球滅亡をもくろんだのだ。

トネリと交戦したナルトが深手を負い、ヒナタが連れ去られるという状況にもなったが、復活したナルトがトネリを撃破し、地球の滅亡は回避された。

その任務を通して、ナルトはヒナタが自分にとってかけがえのない存在であることに気づき、ヒナタに想《おも》いを告げたのだ。

地球を救ったナルトが、ヒナタと恋人同士になって帰還した——そのニュースはまたたくまに里内を駆けめぐった。

しばらくは同期や先輩の忍から冷やかされていた二人だが、もうそういう時期は終わっている。

先日、招待状をもらった。二人の結婚式は、もうすぐだった。

「そうだ、サクラちゃんも一緒にラーメンどーよ?」

にかっと笑ってそんなことを言うナルトに、「あのね」とサクラは溜《た》め息《いき》をつく。

「私が一緒に行ってどーすんのよ。せっかくの非番なんでしょ。たっぷりデートしてきなさいって」

二人の後ろに回りこむと、背中を押してやった。

繁華街を歩いていくナルトとヒナタの後ろ姿を見送る。ナルトがなにか冗談を言い、ヒナタが笑う。幸せそうな二人の姿に、

——いいなあ。

ついそう思ってしまう。

だが、思っても仕方のないことだった。

届かない想いは胸の底に降り積もっていき、溜め息に変わる。そんなとき、決まって頭は仕事のことを考え始めるのだ。

まとめなくてはいけない資料。目を通すべき報告書。

いつのまにか仕事モードになっていた自分に気づき、サクラは苦く笑った。

——こりゃ、いのが心配するわけだ……。

2

火影《ほかげ》の笠《かさ》と装束《しょうぞく》をまとい、机についているのは六代目火影のカカシだ。

「サクラ、前に打診されてた件だけど、砂《すな》から返事が来た。向こうさんはいつでもオーケーだそうだ」

「ほんとですか」

サクラが顔を輝かせると、カカシはにっこりと笑い、

「いのと二人で行ってきたら？　あの子も結構手伝ってくれたんでしょ？」

と続ける。

「はい、そうします！」

木《こ》ノ葉《は》病院で、いのとともに『子ども心療室』の効果についての報告を受けてから一週間。サクラは火影室に呼び出されていた。

『子ども心療室』の現状を、同盟国である砂隠れの里にも伝えたい、と、以前からカカシに願い出ていたのだ。

大戦のストレスにより心が傷ついた子どもは、木ノ葉以外にもいるはずだ。ならば、木ノ葉で効果を上げた心療室の仕組み作りは、他里にとっても有益であるはずだった。

「役に立つシステムはみんなで共有しないとね。しっかり教えてきてあげて」

「はい。カカシ先生にも、この件では本当に助けていただきました。予算でも便宜《べんぎ》をはか

ってくださって……」

「元教え子が頑張《がんば》ってんだから、俺としてもなんか手伝いたいじゃない。それにまあ……心の傷が厄介《やっかい》なもんだってことは、俺もわかってるからね」

カカシは言って、小さくうなずいた。

「砂への出張の日程は、お前といいのに任《まか》せる。気をつけて行ってくるんだぞ」

「はい！」

サクラは火影室をあとにした。

砂隠れの里までは、四日はかかる。旅に必要な忍具や装備のことを考えつつ、資料ももう一度整理しておかなくてはいけない。火影の家を出て、あれこれ考えながら歩いていると、少し先にサイの姿が見えた。任務服の背に大きな巻物を背負《せお》っている。

「サイ」と声をかけると、「やあ」と近づいてきた。

「あんたもカカシ先生に用事？」

聞くと、「んー、うん」と、サイはなんだか煮《に》え切《き》らない返事を返してくる。

「サクラのほうこそ、火影室になにか用事だったの？」

反対に聞き返してくるサイに、サクラは砂隠れへの出張のことを話した。

「そう。砂に。だったらお肌《はだ》の水分補給はマメにしたほうがいいね。あそこは乾燥してるから」

サイの忠告に、サクラはうなずく。

「大丈夫よ。ちゃんと保湿液持ってく。私だってそれぐらいの女子力あるんだから」

「そっか。でも、サクラは女子力というより腕力ってカンジだから、保湿液のびん握りつぶさないようにね」

にっこりとそんなことを言うサイに、サクラも微笑《ほほえ》みながら言ってやった。

「腕力でその口ふさいであげよーか？」

「怖《こわ》い怖い」

ちっとも怖がった様子《ようす》もなく言って、サイは火影の家に向かって歩き出した。

まったく、と、サクラは苦笑する。

「お呼びでしょうか」

机の前に立ち、サイが言った。

「悪いな、急に呼び出して」

カカシは手にしていたファイルを閉じた。

「いえ。でも、ボクに個人的に頼みたいことというのは……？　なにか任務ですか？」

「うん、ま、任務っちゃあ任務なんだが、正式のものってわけじゃないんだ」

「どういうことです？」

サイがわずかに目を細めた。

「お前に調べてほしいことがある。ただしそれはお前一人で動いてほしい」

「なにを調べれば」

カカシはうなずくと、続けた。

「――一週間前、里の温泉に保養に来ていた大名《だいみょう》が、何者かに襲われた事件は知ってるな？」

「はい。……湯につかっていた大名の近くにクナイが一本飛んできたと聞きましたが」

「まあ、被害自体はゼロといってもいい。大名も無傷だったしな。だが、その日、大名の来ていた温泉の周辺は、暗部《あんぶ》によって厳重な警備が敷かれていたんだ。クナイ一本投げこむにしても、それは容易《ようい》なことじゃなかった」

それと、とカカシは続ける。

「その事件のさらに数日前だ。里の演習場の一つを視察に来ていた御意見番のホムラ様とお付きの忍《しのび》二名が、暴漢に襲撃された」

「その事件は知りませんでした」

「ホムラ様が大ごとにされるのを嫌ったからな、おおっぴらにはしてないんだ」

「でも、不穏《ふおん》ですね。国の重役が襲われているわけですから」

「それも立て続けにな」

「その二つの事件をボクに調べろということですか？」

「そ。まあ、事件が二つで終わるのか、三つめがあるのか、二つの事件は同一犯なのか、それとも別個のものなのか、とにかくそこら辺ひっくるめて全部お前に調べてほしいわけ」

カカシは言った。

サイが聞く。

「暗部は？　動かしてないんですか？」

「動いてるよ、もちろん。だけど、個人的に探索《たんさく》の糸を一本垂《た》らしておきたいなと思って。それでお前に」

「わかりました。すぐに動きます」

「悪いね」

「ナルトやサクラと一緒に動かなくていいですか？　そのほうが調査の効率も上がる……いや、ナルトはこういうのは苦手《にがて》かな」

「わかってるじゃない」

カカシは笑った。

「あいつはこういう隠密《おんみつ》系のミッションには不向きだから。それにサクラはサクラで、今やることがあるからね」

「そういえば、ここに来る途中で会いました。砂に出張に行くとか」

「そうそう。だから今は、とりあえずサイ一人で動いてよ。そのほうが目立たないと思うし」

「わかりました」

「くれぐれも慎重《しんちょう》にな」

カカシは言って、表情を引《ひ》き締《し》めた。

「単なるイタズラや粗暴犯じゃないような気が、俺にはしてるんだ」

「先生のカン、ですか」

「うん。意外と当たるんだよね、これが」

「慎重に動きます。でも、先生も用心してくださいね」

「俺も？」

「国の重役が襲われているんです。次に六代目様が襲われても不思議じゃありません」

「確かにそうだな。用心しとくよ」

カカシはうなずきながらも、

――手っ取り早く俺を狙《ねら》ってくれてもいいんだがな。

と、一瞬思う。

3

旅の準備が整《ととの》い、いのとの打ち合わせも済《す》ませた。

砂隠《すながく》れの里への出発を翌日に控えたサクラは、綱手《ツナデ》に呼び出された。

場所は、綱手の行きつけの酒酒屋《しゅしゅや》だ。

「別に用事というわけではないんだ。明日《あした》からお前が旅に出ると聞いてな、それの景気づけみたいなもんだ。……ま、本当は私がただ飲みたかっただけだがな」

そう言って、綱手は笑った。

サクラが負担に思わないように、そういう言い方をしてくれているのだとわかった。

綱手も、最近のサクラが働きすぎていると思っているのだ。だから呼び出してガス抜きをしてやろう、ということなのだろう。

『子ども心療室』設立に際して、サクラの背を押してくれたのは綱手だ。今のサクラの仕事ぶりに、ひょっとしたら綱手はいささかの責任を感じているのかもしれない。

「――しかし、立派になったもんだね、私の弟子も。里に子ども心療室なんてのを導入するなんて。私も師匠《ししょう》として鼻が高いよ」

次々と盃《さかずき》を干《ほ》す綱手の頬《ほお》には朱《しゅ》が差している。食事もそこそこに、早いペースで飲み始めていたのだ。

「でも、結局のところ、私がやったのは窓口を整備しただけです。実際、子どもたちと向き合うのは専門職の人間ですから」

「謙遜《けんそん》しなくていい。子どもは自分の心の傷について、うまく言葉にできないことが多い。だから溜《た》めこんで、しんどい思いをすることになる。そんなとき、救いの手を差し伸べてくれる人間がいるのは心強いことだ。その仕組みをお前が作ったんだ。十分意味はある」

「はい」

師匠にそう言ってもらえると、サクラも報《むく》われたような気がして嬉《うれ》しくなる。

「ところで仲良くやってるのか、ナルトとヒナタは」

仕事寄りの話が一段落したとき、綱手が聞いてきた。

「ええ。こないだ、たまたまデートしてるとこに遭遇《そうぐう》しましたよ。うまくやってるみたいでした」

「ヒナタも、あれはあれで意外と手綱《たづな》をしっかり握《にぎ》るタイプかもしれんな」

「だと思います。相手が勝ち気なタイプだとナルトも衝突しちゃうかもしれませんけど、ヒナタならそういう心配もないでしょうし」

「お前のような女だと難しかったかもしれないな」

綱手が言って、にやりと笑った。サクラは、「あはは」と笑って頭をかく。その笑《え》みが、すぐに溜《た》め息《いき》にとって代わるのは、やはり自分の恋のことを考えたせいだ。

――いけない、いけない、しんみりしたら。

サクラは慌《あわ》ててカラリとした声で聞いた。

「師匠、もうぶっちゃけ聞いちゃいますけど、男の人って、どうやったら振り向いてくれるんですかね」

「男を振り向かせたい……なら」

綱手は言うと、一拍《いっぱく》置いてから、

「胸だな」

そう言ってドーンと胸を張る。

――胸……。お胸かあ。

「そうかあ。やっぱりなあ。ヒナタも大きいもんなあ」

サクラはズーンと肩を落とす。

「馬鹿、冗談だ」

綱手が慌てて言《い》い足《た》した。

「なにで振り向くかは、人による」

「はあ。そう思いたいです……」

「頑張《がんば》れ、サクラ。ま、これぱっかりはなにも手助けはしてやれんがな」

「だったら師匠、賭《か》けてください」

サクラは言った。

「賭ける？」

「私の恋がうまくいかないほうに。師匠の賭けはよく外《はず》れるんですよね。だから」

はっ、と綱手は大きな胸をそらして笑った。

「わかった。そうしよう」

4

翌日、あうんの門をくぐり、サクラといのは砂隠《すながく》れの里に向けて出発した。

風《かぜ》の国・砂隠れの里は、火《ひ》の国・木《こ》ノ葉隠《はがく》れの里の西方に位置している。里を出て、荒野と樹海を抜けた先に、砂隠れの里はあった。

飛ばせば三日で着くが、今回は緊急時ではない。高速移動をするつもりはなかった。

砂隠れの担当者には、四日後の到着予定だと伝えてある。

天候も穏《おだ》やかで、移動は楽だった。任務服の二人は、雑談しながら快調に荒野を駆けた。

「テマリさんとシカマルがどうも怪《あや》しいんだよね」

と、いのが言い出したのは、里を出て二時間ほど駆けた頃だった。

サクラはいのの顔を見た。いたずらっぽい笑《え》みを浮かべている。腰まである綺麗《きれい》な髪を、今は束《たば》ねていた。

「怪しいって、それ……」

「付き合ってんじゃないかってこと」

「ほんとに!?」

「うん。ていうか、あれは付き合ってるね」

「断言しちゃうんだ」

駆けながら会話しているが、二人とも呼吸は乱れていない。

いのが続ける。

「ほら、テマリさんてさ、たまに木ノ葉に来るでしょ。仕事で」

「まあ、あの人は砂の外交担当だからね」

「でね、私、こないだ見ちゃったんだー。シカマルとテマリさんが並んで歩いてるとこ」

「そんなの」とサクラは笑う。

「別にフツーじゃない？　仕事の話してたのかもしれないし」

シカマルも里での立場が重くなり、他国の外交担当者とも密に連絡をとっている。実際サクラも、二人が一緒に歩いているところを里で何度か見かけたことがあった。

「それはそうなんだけどさ、なんていうか、恋人同士っぽいフンイキってあるじゃん。別に腕を組んでるとかじゃないんだけどさ、表情とか、漂わせてるムードっていうの？　私がこないだ見たとき、二人がまさにそれだったんだよね。いつもだったら私、二人に声かけるけど、そのときはためらっちゃって、結局声かけなかったもん」

「そうなんだ……。テマリさんとシカマルがね」

だが、組み合わせとしては、そんなに意外じゃないな、というのが正直な気持ちだった。なにかと縁のある二人なのだ。中忍《ちゆうにん》選抜試験のときは対戦相手として顔を合わせ、またサスケ奪還《だつかん》任務のときは、音隠《おとがく》れの多由也《タユヤ》と戦うシカマルのもとへ助太刀《すけだち》に現れたのがテマリだった。

その後も、里は違えど見知った仲《なか》としてそれなりの交流はあっただろうし、任務や仕事、そしてあの大戦を経《へ》て、二人の気持ちが友情とは違うものに傾いていったとしても不思議ではない。

「向こうに着いたら、テマリさんにその辺のこと聞いてみようかな」

いのが言って、ふふっと笑う。

「やめときなよ。あのでっかい扇子《せんす》で叩《たた》かれるわよ」

「あはは、確かにー」

他愛《たわい》のない会話が楽しかった。

「みんな春だね。でも、シカマルはそうでも、チョウジはさすがにまだ色気より食い気なんじゃない？」

サクラは聞いてみた。

「いやいや、それがそうでもないんだよねー」と、いの。

まだ秘密情報があるのよ、という顔でいのが続ける。

「雲隠《くもがく》れのカルイさん」

「嘘《うそ》！」

これは意外だった。

「あの、なんていうか、激しい感じの人？」

「そう。なんかチョウジがさ、最近やたらと理由つけて雲隠れに行きたがるからさ、怪しいと思って問い詰めたんだよね。そしたら――『んーとね、なんかね、カルイさんとご飯《はん》の約束があって』とかモジモジしながら言うんだもん」

あれは時間の問題だね、と、いのは言って、一人でうなずいている。

「そうかあ」とサクラもうなずく。

ふと思いついて、聞いてみる。

「それより、いののほうはどうなの？　最近、その、レンアイ方面は」

子どもの頃は、ともにサスケをめぐってライバル心をむき出しにしていたサクラといのだが、成長とともに、いのはそのレースから降りた感じになっていた。

いのが今、誰を想《おも》っているのか、それとも誰のことも想っていないのか、知りたくなった。

「うーん……まあ、いるよ」

と、いのは恥ずかしそうに答えた。

「え、彼氏できたの？」

「ううん。じゃなくて。いいなって思ってる人なら、いるよってこと」

「へー！」

思わずサクラはいののほうに寄った。

「全然知らなかった。なになに？　誰なの？」

「すごい食いつくじゃん、サクラ」

「だって気になるよ。ヒントちょうだい、ヒント」

「ヒントぉ？」

いのは少し考えると、頰《ほお》をうっすら染《そ》めて、

「……絵のうまい人」

「いや、それもう答えじゃん！」

サクラはつっこんだ。

「ふうん、そっか、サイか」

「でも、意外じゃないでしょ？」

「まあ、ね」

サイがサスケの代わりに第七班に編入された当初から、いのはサイに気があるそぶりを見せていたのだ。サスケくんにちょっと似ててカッコいいね、と。

「最初の頃はさ、まあまあイケメンだなーぐらいだったんだけど、わかんないね、気持ちって。今は完全にもってかれてる……ってなにコレ!? 私、すごい恥ずかしいこと言ってない？ わー！ ひー！」

「落ち着いて、落ち着いて」

と、いのをなだめて、サクラは聞く。

「で、ちなみに……告白とかは？」

「それは、うん、まだ……」

いのの声が小さくなる。その反応が、サクラには意外だった。

異性関係では割とさばけたところがあって、思い立ったら即行動、みたいなイメージが、いのにはあったが、今回はどうも違うらしい。

「ラベンダーか、ハナミズキか……迷ってんだよね」

いのが言った。

「ラベンダーか、ハナミズキ？」

「うん……。ラベンダーの花言葉は、〝あなたを待っています〟、ハナミズキの花言葉は、〝私の想いを受け止めて〟。サイに気のある雰囲気出して、あいつのこと待ってればいいのか、それとも、こっちからバシッと告白しちゃうのがいいのか……今、悩み中なんだ」

「そっか」

花言葉で説明してくれる辺《あた》り、いかにも花屋の娘だった。

「いのは……ハナミズキのイメージだけどな、私は」

サクラは言ってみた。いのもうなずく。

「だよねー、私のキャラ的にはねー」

うー悩むぜ、と、額《ひたい》に手を当てるいのが、なんだか少し可愛《かわい》らしく見えた。

私の場合は、とサクラはふと思った。

——ラベンダー、なのかな、やっぱり……。

私の想いを受け止めて、と言おうにも、サスケは旅の空だ。

サクラには、今のところ待つことしかできなかった。

でも、と思う。

——いつまで待てば……？

5

旅人風《ふう》のコートを羽織《はお》り、一振りの刀を背負《せお》った男と、黒いベストを着た眼光の鋭い男が対峙《たいじ》していた。

ベストの男の背後には、十数人の仲間がいたが、コートの男は連れもおらず、一人だった。

彼らの近くには、数張りのテントがあった。岩山と砂に囲まれたアジトだった。テントの色は砂と同系色で、上空から視認されにくいようになっている。

「本気で言ってるのか？　俺たちと手を組み、木ノ葉隠《こはがく》れの里でテロを起こすと」

ベストの男が聞いた。

コートの男はうなずいた。

「そうだ。何度も言わせるな」

「俺の知っている話と違うな。……お前は、里への憎しみを捨て、里のために戦ったんじゃないのか？」

「人は変わる」

コートの男は冷たい声で言った。

「憎しみは消えてなどいなかった。俺自身、一旦《いったん》は消えたかに思えたが、それは思い違いだった。俺はもう一度動く。里を潰《つぶ》すためにな」

ベストの男は、相手の顔を見返した。

会うのは今日で二度目だった。

一度目はすぐに追い返した。持ちかけてきた話があまりにも胡散臭《うさんくさ》かったからだ。しかし、懲《こ》りずにこの男は会いに来た。

「なぜ、俺たちと手を組みたいんだ？　理由を聞かせろ」

ベストの男は聞いた。

「アンタらの噂《うわさ》は聞いている」

コートの男は無表情に言った。

「元砂隠《すながく》れの忍《しのび》で、手練《てだ》れの集団だと。特にリーダーのアンタは、なかなかの風遁《ふうとん》使いだそうだな。その力を見こんでだ」

「それだけでは答えになっていないな。俺たちがどういう組織かわかっているのか？」

「わかってるさ。砂の現体制に不満を持つ、砂の抜《ぬ》け忍《にん》で構成されたテロリスト集団だろう」

相手の言い方に、どこかこちらを軽《かろ》んじるような響《ひび》きがあって、ベストの男は不快だった。

「そうだ。確かに俺たちは砂の現体制を変革したいと考えている。そのために強い忍を欲していることも事実だ。だが、俺たちは木ノ葉に対してはなんの恨《うら》みもない。その俺たちがどうしてお前と手を組んで木ノ葉を襲う必要がある？」

「俺の力はアンタらの組織にとって有益なはずだ。俺の力があれば、砂でクーデターを起こすことも容易《ようい》だろう。そのためにまず、俺の木ノ葉崩《くず》しに協力しろと言ってるんだ。木ノ葉崩しが成《な》ったあかつきには、アンタらが砂で起こすテロにも力を貸してやる」

ベストの男は鼻を鳴らしてかぶりを振った。

「協力しろ。力を貸してやる。……お前はなにか勘違《かんちが》いしていないか？　なぜお前が上から物を言う？」

「俺のほうが上だからに決まっているだろう。いいか？　勘違いしてるのはアンタらのほうだ。仲間じゃない、俺の手下にしてやる。そのほうがアンタらにとっても得だから、そうしたほうがいい」

ベストの男は目を閉じた。怒《いか》りを静めるための瞑目《めいもく》だった。

目を開け、ベストの男は言った。

「決裂だな。話にならん。さっさとここから失《う》せろ」

「……そうか。ならば消えるとしよう。だが――」

そこで相手は目を細めた。

「貴様らは、俺の木ノ葉崩しの計画を知ってしまったな」

直後、ベストの男は両手で印《いん》を結んだ。

——風遁・風切《かざき》りの術！

斬風《ざんぷう》が、相手の体を蹂躙《じゅうりん》し、その四肢《しし》をばらばらに切断した。

「いい反応だな」

声が耳元でしたのと同時に、ベストの男は自分の体が背後から刀で貫《つらぬ》かれていることに気づいた。

風遁で仕留《しと》めたかに見えたが、それは幻術だった——

「ぐっ……！」

口から血と苦悶《くもん》の声がもれたときだった。四方八方から忍が殺到してきた。

「全員動くな！」

乱入してきた忍たちは、砂隠れの暗部《あんぶ》の仮面をつけていた。

腹の異物感が消えた。と同時にベストの男はぐらりと倒れた。

横倒しになった視界のなかで、コートの男が大きく跳躍《ちょうやく》して、この場を離れるのが見えた。

「逃げたぞ！」

暗部の誰かが叫んだ。

怒号《どごう》と、忍具の飛《と》び交《か》う音。仲間と、暗部たちが戦っているのだ。
砂塵《さじん》のなかで、ベストの男の視界は暗くなっていった。

第二章

1

「こいつらを調べればいいんで？」

　サイの渡したメモを手に、情報屋の男が言った。スキンヘッドで、眉《まゆ》も剃《そ》り落《お》としているため、年齢のわかりにくい男だった。実際、何歳なのかサイも知らない。

　里のはずれにある森のなかだった。木《こ》もれ日《び》が、二人の周囲に落ちている。

「そうだ」

　と、サイはうなずいた。

「……霧《きり》の抜《ぬ》け忍《にん》のテンゼン……、魂《たま》抜《ぬ》きのゲンバ……、犯罪結社『亡《ぼう》』の頭目《とうもく》、バラキ……どいつもこいつも手配凶《きよう》度《ど》上位の大物ばかりじゃないですか」

　情報屋は言った。近くを川が流れており、その水音のせいで、声は遠くには届かない。

「とりあえず、その三人をあたってほしい。不《ふ》穏《おん》な動きはないか、どんなささいな情報でもいいから拾ってきてほしいんだ」

「わかりました」

「三人の名、覚えたか？」

情報屋がうなずいたので、サイは片手で簡単な印《いん》を結んだ。

情報屋の手にしていたメモの文字が、蒸発するように消えた。文字は、サイの持つ特殊な墨《すみ》で書かれていた。

「しかしまた、なんでこいつらの動向を？」

「アンタが知る必要はないよ」

「例の、御意見番のホムラ様が襲われた件のからみですか？」

サイは情報屋の顔を見た。薄く笑っている。

「よく知っているな」

「こちとら、それが飯《めし》の種ですからね。……で、今言った連中の誰かが怪《あや》しいんですか？」

「アンタが知る必要はないと言っただろう」

サイが一瞬目つきを鋭くすると、情報屋はぎくりとした顔になった。

「おっと失礼。わきまえておきます」

相手が相手だから探るのに時間がかかるかもしれない、と言い置いて、情報屋は森をあとにした。

サイも森を出て、里に向かう道を歩き出した。

子飼《こが》いの情報屋を動かしたが、おそらくは空振《からぶ》りだろうな、という予感がしていた。三人の大物犯罪者について、情報屋はなにがしかのネタを持ち帰ってくるだろうが、それが今回の事件につながる可能性は低いだろう。それでも行かせたのは、万が一を考えてのことだ。

保養中の大名《だいみょう》と、視察中の御意見番が襲われた。

カカシは、単なる粗暴犯とは思えないと言っていたが、それはサイも同感だった。

カカシから密命を下された日、サイは暗部《あんぶ》の資料室に出向き、二つの事件について調べてみた。

大名は駕籠《かご》で移動中も、そして温泉場に着いてからも、暗部の強固な警護のもとにあった。その警護のわずかな隙《すき》をついて、温泉につかる大名の近くにクナイが一本飛来した。たかがクナイ一本と軽視することはできなかった。そのクナイに起爆札《きばくふだ》でもついていたら、被害は甚大《じんだい》だったはずだ。

視察中、暴漢に襲われた御意見番のホムラにも、暗部ではないが二名の忍《しのび》が警護役としてそばについていた。

暴漢は覆面《ふくめん》をした三人の男だった。そのうちの一人に忍刀で斬《き》りつけられ、ホムラは腕に軽い傷を負《お》った。

暴漢はすぐに逃走し、警護役がこれを追ったが、途中でまかれ、身柄《みがら》を確保するには至らなかった。逃げた暴漢は、薄紫色《うすむらさきいろ》のチャクラの衣《ころも》をまとっていたという。

警備の追跡をかわしたこともそうだが、古強者《ふるつわもの》のホムラに、浅いとはいえ傷を負わせたことからも、相手が強い忍であることはわかった。敵の狙《ねら》いや規模は不明だが、忍としてのスキルだけなら、敵のそれは相当なものと見てよかった。

強い忍で、犯罪行為に手を染《そ》めるとなると、おのずと手配書《ビンゴ・ブック》の手配凶度の高い犯罪者に目がいく。

だから、サイは情報屋に接触し、手配書《ビンゴ・ブック》上位者の動向を探らせることにした。無論、上位者すべてをあたらせるわけにはいかないから、明らかに違うと思われる者などは外《はず》しておいた。

だが、そのぐらいの調査は、すでに暗部の人間もやっているだろう。そのうえで、カカシがサイに密命を下したということは、もっと得体の知れない何者かの存在を、カカシは事件の背後に感じているに違いない。

サイは、このあとの行動について考えた。

事件の現場となった温泉場と演習場に行ってみようか、あるいはもう一度手配書《ビンゴ・ブック》を洗い直すか。そのとき、背後に気配を感じ、サイは立ち止まった。

森からは離れ、もう街区《がいく》のなかに入っていたが、にぎやかなところではなかった。道沿《みちぞ》いに、工場の裏手のコンクリート塀《べい》が続いている。人通りはない。サイがここに来るのを待って、相手は気配を消すのをやめたのかもしれなかった。

戦いが、すぐに起こった。背後から手裏剣《しゆりけん》が飛んでくる。それを横に跳《と》んでかわし、振り返って、敵の人数を確認した。

二十メートルほど先に、二人。黒い覆面《ふくめん》をつけている。覆面の暴漢――御意見番を襲ったやつだろうか。二人以外に仲間が潜《ひそ》んでいるかどうかは、わからなかった。

追撃が来た。

一人がクナイを投げた。と同時に、もう一人が動いた。動いたほうは、クナイを逆手《さかて》に持っている。飛来するクナイをよけさせ、サイの体勢が崩《くず》れたところを攻撃するつもりのようだ。連係の呼吸はよかった。

サイはクナイをかわし、そこへ肉薄してきたもう一人の攻撃も後方へ跳んでかわした。跳びながら、巻物と筆をかまえる。

――忍法・超獣偽画《ちようじゆうぎが》！

墨の線で描かれた二頭の虎《とら》に命が宿り、敵めがけて駆けていく。これで終わりだろう、とサイは思ったが、それは裏切られた。

襲いかかった猛虎《もうこ》の一頭は、クナイで額《ひたい》を突かれて墨の飛沫《しぶき》に変わり、もう一頭は、噛《か》みつこうとしたところをかわされて背中に乗られ、やはり首をクナイで刺されて墨に戻った。

サイは、はっとした。思いの外《ほか》、強い。

虎を倒した敵は、そのまま守勢に回らず、攻めかかってきた。

一人がクナイや手裏剣を飛ばし、サイがかわしたところへ、もう一人が踏みこんでくる。

単調なコンビプレーだが、攻撃のキレがいいために、サイも反撃の糸口が摑《つか》めない。

サイは煙玉《けむりだま》を地面に投げた。

ボンという破裂音とともに、煙幕が広がった。

サイは素早く煙の外に出、巻物に新《あら》たな絵を描いた。

煙が薄くなっていく。敵はクナイをかまえ、サイの攻撃に備《そな》えていた。

サイが新たに描いた虎が、敵めがけて走っていった。今度の虎はさっきのよりも小さい。

が、六頭に増《ふ》やしておいた。

頭を低くして走る虎、高く飛ぶ虎、それぞれがトリッキーな動きで敵を攪乱《かくらん》する。

虎の数が増えたことで、敵も攻めあぐねているようだ。

——よし！

サイはクナイを手に、乱戦の渦中《かちゆう》に飛びこんだ。

――まずはこいつから……。

距離的に近かったほうにクナイで迫る。

が、次の瞬間、敵のチャクラが倍増した。ぼっと燃えるようにチャクラが膨《ふく》れ上《あ》がり、それが衣のように全身を包みこんだのだ。爆発的に増えた敵のチャクラは、その爆発力だけで二頭の虎を墨に戻した。

「――！」

サイは目を見開いた。

なかなかやる、というレベルではなかった。チャクラの量だけは上忍《じようにん》クラスといってもよかった。そして、驚くべきは、チャクラが増えたことよりも、彼らの体を包む、チャクラの衣の様子《ようす》だった。

――あれは……尾か？

薄紫色のチャクラの衣、その尻《しり》の部分に、三十センチほどの長さの尾が生《は》えている。

観察は、しかしそこまでだった。

虎の攻撃をかいくぐり、一人がサイとの距離を詰めてきた。瞬《また》く間《ま》に体術による接近戦が始まる。

互いの拳《こぶし》と蹴《け》りとクナイが交錯した。

敵が不意に身を屈《かが》め、足払いをかけてきた。サイはそれを食らって転倒した。

相手はすぐさまサイに馬乗りになり、クナイを振り下ろした。かわせず、クナイがサイの胸を突いた――瞬間、サイの体が墨に戻った。墨分身を捨《す》て駒《ごま》にして、オリジナルのサイが現れ、逆襲に転じた。分身に戸惑《とまど》う敵の背後から蹴りを見舞う。

ヒットした。敵は吹っ飛び、地面を数メートル転がった。起き上がり、しかし反撃には出なかった。

敵はそのまま後ろ向きに跳び、逃走を図《はか》った。チャクラが増したぶん、そのスピードは速かった。

――追うか、それとも……。

サイは、もう一人の敵に視線を飛ばした。

四頭の虎を一人で相手にするのはきつかったようだ。二頭は倒したようだが、残る二頭によって完全に地面に組《く》み伏《ふ》せられている。チャクラの衣は、もう消えていた。

サイは、逃げた男を追うのを諦《あきら》めた。

組み伏せられた男に近づいた。

うつ伏せの男は顔を横にして、苦しげな声をもらしていた。覆面からのぞく目が、サイを睨《にら》んでいる。が、その瞳《ひとみ》には怯《おび》えの色もあった。

「何者だ？」

サイは聞いた。

男は答えない。

「正直に答えるなら、取り調べのあとの処遇にも配慮する」

言ったが、それはエサだった。取り調べ後、この男をどうするかは、サイの一存で決められることではない。

「ほ、本当に……」

と、男が掠《かす》れた声で言った直後だった。

おうっ、と奇妙な声を上げ、男が目を剝《む》いた。すぐに全身の痙攣《けいれん》が始まり、それは、男を押さえこんでいる虎の脚《あし》をはねのけんばかりだった。

「どうした！」

サイは、虎を墨に返し、男の傍《かたわ》らにしゃがみこんだ。

男の呼吸が浅く、速くなっている。なにかを言おうとしているが、それは声にはならず、喉《のど》の奥で軋《きし》んだような音になるだけだ。

「おい――」

と、男の体に触れて、サイは危機を察した。男のうなじの辺《あた》りに、梵字《ぼんじ》に似た紋様《もんよう》が浮かんでいた。

——やばい、こいつは——

サイが弾《はじ》かれたように後方へ跳んだ直後、男の体が爆発した。血と肉と骨を飛散させて、男は死亡した。

サイは、着地した場所で静かに息を吐《は》いた。

敵の手に落ちた忍が、自《みずか》ら命を絶《た》つことは珍しくない。拷問《ごうもん》や、あるいは瞳術《どうじゅつ》などにより、相手にこちらの情報を盗まれることを避けるためだ。死んだのち、自分の死体を解剖《かいぼう》されることを恐れて、爆死を選ぶケースもある。

やはり、とサイは思った。

——簡単な事件じゃないみたいだな……。

2

——こんな偶然ってあるんだ。

いや、これは偶然なんかじゃなく、サクラの想《おも》いの強さが引き寄せた、必然の再会だったのかもしれない。

砂隠《すながく》れの里に着くと、サスケがいたのだ。

里の入り口に、ターバンとコートをつけたサスケがいて、サクラのことを待っていたのである。

「サスケくん！」

サクラは駆け寄った。いのがその場にいないことが、一瞬気になったが、サスケと再会できた喜びのほうが大きくて、それはすぐに忘れた。

「元気だったか？」

「うん！　サスケくんは？　腕の調子はどう？」

「心配ない。よくなじんで、よく動いてくれている」

そう言うと、サスケは柱間《ハシラマ》の細胞で作った義手を動かしてみせた。

「どこか変な感じだったらすぐに言ってね。私が診《み》るから」

「ああ、すまない」

サスケは言って、サクラの頭をポンと撫《な》でてくれた。それだけで息が止まるくらい嬉《うれ》しかった。いのはどこにいるんだろう、と、また思う。せっかくサスケくんがいるのに。

「頑張《がんば》ってるみたいじゃないか、サクラ。子どもの心のケアについて、いろいろやっているんだろう」

「サスケくん、よく知ってるね」

「ああ。お前とは同期だからな。俺が里にいない間、お前がなにをしてるかは気になるさ。いや――」

と、そこでサスケは一拍《いっぱく》置いた。

「気になってるのは、同期だからってだけじゃなくて、ほかにも理由があるんだがな」

「え……？」

サクラはサスケの顔を見た。視線がぶつかり、見つめ合う格好《かっこう》になった。

「サクラ」

とサスケが言った。

意外にもサクラの気持ちは落ち着いていた。

――もう子どもじゃない。もう舞い上がったりしない。このときを、私はずっと待ってたんだ……。

「サクラ」

「サスケくん……」

そのとき、サクラは頬《ほお》に微《かす》かな風を感じた。

おかしい。今は風なんか吹いていないはずだ。風が吹けば、辺《あた》りの砂が動くはずなのに、砂は動いていない。それなのに、サクラは風を感じた。

その不思議な感覚の原因は、すぐにわかった。夢から現実へ、サクラの意識が引き戻されようとしているのだ。

砂隠れの里の入り口でサスケと向かい合っているのは夢で、現実のサクラは今、砂隠れの里の手前にある林のなかで仮眠をとっているのだ。仮眠中のサクラの頬を、風が撫でていったということだ。

夢と現実の狭間《はざま》で、サクラは焦《あせ》った。

覚めてほしくない。まだサスケくんといたい。サスケくんの言葉の続きを聞きたい。サスケくんの――

サクラは目を開けた。

夜だった。林のなかに、サクラはいた。月の明かりがあるおかげで、周囲は闇《やみ》にならずにすんでいた。近くで、いのも仮眠をとっている。木ノ葉隠《こはがく》れの里を出て、今日で三日目。この林を抜ければ、砂隠れまではあと少しだったが、陽《ひ》も暮れてきたので、無理はしないことにしたのだ。

夕刻、この林に入ると、携帯食で簡単に食事を済《す》ませ、二人は早々に休むことにした。戦地であれば、用心のために交代で仮眠をとるところだが、今は、敵を感知する結界《けっかい》用の札を周囲にセットしているだけだった。幸い、この旅の間、札が反応したことは一度もなかった。

頭の芯《しん》に、今見た夢の余韻《よいん》がまだ残っていた。

夢にサスケが出てきたことは、嬉しくもあったが、切なくもあった。目覚めたとき、サスケの不在が強く意識されるぶん、切なさのほうが大きいのだ。

溜《た》め息《いき》が、自然ともれた。

——あんな夢見るなんて……。

と、サクラは思う。やっぱり少し焦ってるんだろうな、私……。

旅の途中、いのから、シカマルとテマリの話を聞いた。それとチョウジとカルイの話も。

そして、いの自身は、今、サイのことが好きだという。

いろいろな恋が、サクラの周《まわ》りで芽生《めば》え、育っている。

誰が誰より早く、などと考えることが無意味なのはわかっている。恋愛の成就《じょうじゅ》は、誰かと競い合って目指《めざ》すものではないのだ。

それでも、サクラの心には、焦りに似たもどかしさがあった。

——正夢《まさゆめ》になればいいのに。

ふと、そんなことをサクラは思った。

——今見た夢が、正夢になって、明日《あした》砂隠れの里に着いたらサスケくんが来てた、とか……。


「ないか……」

声に出して呟《つぶや》くと、サクラは小さく笑った。

溜め息を、風がさらっていった。


翌日、サクラといのは、予定通り砂隠れの里に到着した。

出迎えてくれたのは、砂隠れの医療班の幹部たちだった。立派な髭《ひげ》をたくわえた、年嵩《としかさ》の男が言った。

「おつかれさまです。少しお休みいただいてから、早速《さっそく》お話をうかがいたいのですが、かまいませんか？」

「それで結構です。よろしくお願いします」

サクラが答えると、髭の男は二人を里の病院に案内してくれた。

二人は、院内にある多目的室のような広い部屋に通された。しばしの休憩のあと、部屋に医療関係者と思《おぼ》しき出席者が集まってきた。

出席者二十名ほどを前に、まずはサクラが話し始めた。

木ノ葉隠れの里における『子ども心療室』について。その導入にあたっての問題点や、現時点での効果など――

大勢を前にして喋《しゃべ》るのは、何度経験しても慣《な》れないが、時々いのが補足してくれたおかげで、進行はスムーズだった。

サクラの話のあとは、意見交換の時間になった。

里の文化や行政制度の違いもあるから、木ノ葉のやり方をそのままなぞることはできないが、調整しながら導入すれば、砂でも大いに効果を上げそうだと、医療班の幹部は言ってくれた。

意見交換も含め、全体の会合は二時間ほどで終わった。

出席者が退室すると、サクラたちを案内してくれた髭の男が近づいてきた。

「お疲れのところ申《もう》し訳《わけ》ないのですが、風影《かぜかげ》様のところまでご足労いただけますか？　風影様がお話ししたいことがあると。テマリ様も一緒です」

「ええ、それはもちろん」

「砂まで来て、あの二人に会わずに帰るなんてね」

いのも言って笑った。

髭の男が、「それでは、こちらへ」と先に立って歩き出した。その表情がどことなく硬いことが気になった。

病院を出て、里の中心部に向かって歩くと、球状の建物があった。建物の壁面には『風』という文字が記《しる》されている。サクラたちは、そこに案内された。

広大な部屋の中央に円卓があり、我愛羅《ガアラ》が座していた。傍《かたわ》らにはテマリも立っている。

「お連れいたしました」

髭の男が言い、我愛羅がうなずくと、男は一礼して部屋を出て行った。

「サクラ、いの、今回はありがとう」

我愛羅が言った。

「我愛羅くん、テマリさん、元気だった?」

サクラが聞くと、我愛羅は「ああ」とうなずき、テマリも、「うん」とだけ返した。

二人とも、どことなく浮かない顔だった。我愛羅は基本的にポーカーフェイスだが、今日の顔つきには、かすかに険《けわ》しい色があった。

「あの……なんかあったの?」

いのが聞いた。

我愛羅はテマリと一度視線を交《か》わしてから、サクラたちに顔を戻した。

「うちはサスケが、この里に来た」

3

サクラは目を見開いた。

「ほんとに!?」

――え、まさか、本当に正夢?

一瞬笑《え》みを浮かべそうになったが、今の我愛羅《ガアラ》の声と表情から、不穏《ふおん》な雲行きを察して笑顔は引っこめた。

「サスケくんが、ここに?」

「なんで?」

サクラといのは聞いた。

我愛羅は円卓の上で両手を組み合わせると、一度息を吐《は》いてから言った。

「――どこから話せばいいか、少々悩むが、起きたことをそのまま話すのがいいだろうな」

我愛羅はそう前置きして、続けた。

「二日前だ。うちはサスケが、うちの里に潜伏《せんぷく》していたテロリストと接触した」

「はあ!?」

いのが頓狂《とんきょう》な声を上げる。

「ちょっと待って。なんでサスケくんがテロリストなんかと――」

「いの」

と、声を差しこんだのはテマリだった。

「まず我愛羅が話す。質問はそのあとにしてくれ」

「ごめん……」

我愛羅はうなずくと、続けた。

「――二日前、俺はこの里の暗部《あんぶ》の者とともに、あるテロリストのアジトを包囲していた。本来、里長《さとおさ》である俺が直接そういった任務に同行することはないんだが、事情が事情だからな」

そのテロリスト、元は砂隠《すながく》れの忍《しのび》だったが、我愛羅が風影《かぜかげ》に就任《しゅうにん》したことに反発し、里を抜け、反体制グループとなっていた。

長らく居所が摑《つか》めなかったが、ひと月ほど前、暗部の一人がアジトを発見し、グループは暗部の監視下に置かれることになった。

アジトにこもっていたグループに動きがあったのは、一週間ほど前だった。一人の男がアジトを訪れ、リーダーであるそのテロリストと接触したのである。監視任務についていた暗部の者は、

——アジトを訪れた男は、すぐにテントから出てきて姿を消しました。

と報告した。

面会の時間はわずかで、会話の内容を盗み聞くこともできなかった。だが一つ、暗部の者は気になる報告を我愛羅に上げていた。

「アジトに現れた男の容貌《ようぼう》が、木ノ葉《こ　は》のうちはサスケに酷似《こくじ》していたと」

サクラは静かに息を吸いこんだ。しかし、質問はまだだ。

我愛羅が続ける。

「他人の空似《そらに》か見間違いだろうと思ったが、それだけで片付けるのも抵抗があった。俺は、翌日から暗部とともに監視任務に加わることにした」

我愛羅なら砂の目玉でテントのなかを覗き見《のぞ　み》ることができるし、砂を操《あやつ》れば、盗聴用の装置を仕掛けることも容易《ようい》だ。

そして、我愛羅が監視に加《くわ》わってから数日後のことだった。

テロリストのアジトに、うちはサスケが現れた。

サスケはアジトのなかに入ると、リーダーのテロリストと交渉を始めた。

「〝俺の手下になれ〟というのが、サスケが相手に突きつけた要求だった」

「手下に……？」

いのが眉根《まゆね》を寄せた。

我愛羅がうなずく。

「手下になって、俺の木ノ葉崩《くず》しに協力しろ、そうすればお前たちのテロ活動も手伝ってやる、とサスケは相手に持ちかけたんだ」

「そんなこと！」

思わずサクラは声を出してしまった。

我愛羅が続ける。

「そのテロリストはサスケの要求を突っぱねた。交渉は決裂したというわけだ。しかし、サスケはそこでその場を去らず、テロリストを殺害したんだ。木ノ葉崩しの計画を知られた以上、生かしてはおけない、ということでな」

砂の目玉で監視していた我愛羅は、そこで暗部の者に突入を指示した。

テロリストグループと暗部の乱戦がすぐに始まり、サスケはその混乱の最中、逃走した。

我愛羅は追おうとしたが、途中でサスケにチャクラを消され、見失ってしまったという。

「——これが二日前に起こったことだ」

サクラは目を閉じた。だが、口は開かなかった。部屋に、沈黙が落ちた。

やがて、いのが言った。

「や、ちょっと待って。そんな話さあ、信じられると思う?」

声に笑いが混じったのは、あまりに現実離れした話だったからだろう。サクラもそれは同感だった。

一族の悲劇。里への抜き去りがたい憎悪《ぞうお》。それらに打《う》ち克《か》って、サスケはサクラたちと忍界大戦《にんかいたいせん》を戦ってくれた仲間なのだ。そのサスケが、どうして今またテロリストと手を組み、木ノ葉への復讐《ふくしゅう》を画策する必要があるのだ。サスケの行動とは到底思えなかった。

「ねえ、我愛羅くん、それって間違いなくサスケくんだったの?」

間違いなく、の部分に力をこめてサクラは聞いた。

いのも言う。

「そうよ、たとえば変化《へんげ》の術とかでさ、誰かがサスケくんに化けてたとか……」

「俺もそう思いたい。だが、それは考えにくいんだ」

我愛羅は小さく首を振った。

「変化の術で姿形を似せることはできても、チャクラの色やタイプを同じにすることはできない。俺が二日前にアジトで見たサスケは、俺のよく知るサスケと、同じタイプのチャクラを持っていた」

「確か木ノ葉の暗部に、チャクラをコピーする術を持った忍がいると聞いたことがあるが……関係はないか？」

テマリが言った。

そういう忍がいるというのは、サクラも聞いたことがあった。だが、今回は無関係だろう。

「ないと思います」

サクラは言った。

「サスケくんとは接点のない忍ですし、そもそもそんなことをする理由がわかりません」

「ならば、我愛羅が見たサスケは、本物のサスケである可能性が高くなるな」

「テマリさん！　そんな言い方……」

「事実を言ってるだけだ、私は」

テマリは言って、いのに鋭い視線を向けた。

「白《しろ》ゼツ……」

とサクラは言いかけて、「なわけないか」とすぐに打ち消した。

「それは俺も一瞬考えた」

我愛羅が言った。

「あれもチャクラをコピーする能力を持っていたからな。だが、大筒木《おおつつき》カグヤが滅《ほろ》んだ以上、あれが生き残っているとも思えない」

「じゃあ……象転《しょうてん》の術という可能性は？」

サクラは言った。『暁《あかつき》』を率《ひき》いていた、ペインという男がそういう術を使ったと、古書《こしょ》処の資料で読んだことがある。依《よ》り代《しろ》にメンバーのチャクラを分け与え、完全な「同一体」として操る術だ。

「確かに、その術なら、顔もチャクラも同じであることの説明はつくだろうな。だが、ペインはもういないんだ。あるいはその術を使える別の人物がいたとしても、なぜサスケがそういう人物と接触し、自分の同一体を作ることを許したのか、という問題も残る」

我愛羅の言う通りだった。目撃されたサスケが、サスケ本人ではなくサスケの同一体であったとしても、サスケの嫌疑《けんぎ》は晴れないのだ。

「サスケ本人に連絡はつかないのか？　旅に出ていると聞いたが」

我愛羅が聞いた。

サクラは力なく首を振った。

「伝言を託せる連絡ポイントみたいなのは各地にあるんだけど……」

「サスケくんが、いつどのタイミングでそこにアクセスするかわからないんだよね」

いのが、サクラに続けて言った。

「今回の事件、砂としては、外部にもらすつもりはない。内々で処理するつもりだ。事件について知っているのは、俺と任務にあたった暗部の者、それ以外はテマリと幹部数名だけだ。アジトで逮捕したテロリストたちも、現在は収監されているから情報が里外にもれることはない」

「うちはサスケがテロリストと手を組もうとするはずがない。それは、私と我愛羅もそう思っている。そもそも、いきなり手下になれなどという雑な交渉を、サスケがするとも思えないしな」

テマリが言った。

サクラといのはうなずいた。

「サクラ、いの、急いで里に帰ってカカシの判断を仰《あお》ぐのがいいと思う。せっかく砂に来てくれたのだから、もっとゆっくりしていってほしいのは山々だがな」

我愛羅が言った。

もちろんサクラも里に戻るつもりだった。砂隠れに来たら、いろいろとやりたいこともあった。砂隠れの医療体制について、もっと学びたかったし、毒の研究についても専門家と話したいことがあった。

だが、今は木ノ葉に戻るのが先だった。

「通信用の鷹《たか》を飛ばして、概要《がいよう》だけはカカシに伝えておく。俺が出向いて説明してもいいが、里長という立場上、そうそう里を空《あ》けるわけにもいかなくてな」

「わかった」

四日かけて来たが、三日で帰ろう、とサクラは思った。

第三章

1

「春野《はるの》サクラが導入を提案し、発足《ほっそく》から一年半が経過した『子ども心療室』ですが、一定の効果を上げています。次期の予算、ここにもう少し回してもよいかと思いますが……」

カカシの発言に、上座《かみざ》を占《し》めた大名《だいみよう》は、ふむと顎《あご》を撫《な》でた。なにやら考えているような顔だが、その実、大して頭を巡《めぐ》らせていないことは、カカシにもわかっていた。退屈な会議が早く終わればいい、考えているのはそれぐらいのことだろう。

大名殿《だいみようでん》で会議が開かれていた。議題は主《おも》に予算の振り分けについてだった。

出席者は大名以下、国の上役たち、火影《ほかげ》であるカカシ、御意見番のホムラとコハル、さらに暗部《あんぶ》の幹部クラスなども顔をそろえていた。医療班の幹部として、シズネも出席している。

「春野サクラからもう少し詳《くわ》しい報告を聞きたいものだが、今、あの娘は里を離れているのだったな?」

言ったのは、コハルだった。

ええ、とカカシはうなずく。

「山中《やまなか》いのとともに、砂《すな》に行っています。砂の医療関係者に『子ども心療室』の現状報告をし、意見交換をしたいと本人が言いましたので」

「砂や、あるいは他里でも同様の仕組みが導入されれば、共同研究のようなこともできるかもしれません。そうなれば、今後、子どもの心のケアがより充実していくと思われます」

カカシの隣の席にいたシズネが、そう一言《ひとこと》添《そ》えてくれた。

「暗部への予算はどうなります？」

ぴしゃりと、そこに声が差しこまれた。カカシの斜《なな》め向《む》かいに座していた男だった。積木《つみき》キドという、現在暗部で複数の班を束《たば》ねている幹部だった。年齢は、確かカカシとほとんど変わらないはずだ。鷲鼻《わしばな》と鋭い目が特徴的な顔だった。キドの隣には、副官的立場のマギレという男もいる。

キドが続ける。

「心療室への予算は、これまでにも十分すぎるほど与えられています。一定の効果が認められたのなら、もうそれ以上の予算は不要かと思いますがねぇ」

粘着質《ねんちゃくしつ》な語尾が耳障《みみざわ》りだった。

「制度の維持《いじ》と発展のために必要な予算もあるんです」

シズネが尖《とが》った声で言った。

「それを言うなら、暗部の維持と発展も考えていただきたいものですな」

キドは言って、カカシのほうを見た。冷たい目をしていた。

「カカシさん――失礼、六代目。この二年、暗部に振り分けられる予算が、減少傾向にありますが、はたしてこれは正しい選択なのでしょうかね」

「少なくとも俺は正しいと思っているが……」

カカシが言うと、キドは「ははは」と芝居《しばい》がかった笑い声を立てた。

「火影様の発言とは思えませんね。暗部は火影直轄《ちょっかつ》の組織です。その暗部の予算を、火影自《みずか》ら削《けず》ろうとするとは。しかもあなた自身、元暗部の人間じゃないですか」

「優先順位があると言ってるんだよ、俺は」

「子どもの面倒を見ることのほうが、暗部より重要だと？　理解できませんな、私には」

そもそも、と、キドは語気を強める。

「子どもの心の傷を対話によって快復させるというやり方がまどろっこしい。そのために専門職を養成する。実に迂遠《うえん》だ。そんなことをするなら、薬でも飲ませて、さっさと不安症状を取り除《のぞ》いてやればいいんだ」

「薬も一つの方法だろうさ。でも、それ一辺倒ってのもね」

「マギレさん」

シズネがキドの隣にいる男に声をかけた。

「あなたは医療忍者ですよね？　あなたもキドさんと同じ考えなのですか？」

聞かれたマギレは、シズネのほうに顔を向けた。色白で、片眼鏡《かためがね》をかけているところが、いかにも学究肌《がっきゅうはだ》という印象の男だ。

「……対話することで子どもの不安を取り除いてやる、そのこと自体を否定するつもりはありませんが、効率性、確実性を考えるなら、薬の投与による治療のほうが合理的かと判断します。以上です」

マギレはそう言うと、また顔を正面に戻した。どことなく傀儡《くぐつ》めいた、人間味のない動きだった。

キドがあとに続ける。

「効率性、合理的。実にいい言葉だ。医療も、そして予算もそうあるべきです。予算には、カネには、限りがある。本当に里のためになるところに振り分けるべきかと思いますがね」

「今は平時だ。世界は緊張状態にない。そんなご時世の今、暗部に手厚い予算を下ろす必要を、俺は感じないがね」

「治《ち》にいて乱を忘れず――という言葉もある。平和なときこそ、世が乱れたときのことを想定しておく必要があるのですよ。それに――」

と、もったいをつけるようにキドはそこで言葉を切った。

「はたして平和と言えるのでしょうかねぇ、今」

キドが冷笑とともに粘《ねば》っこく言った。

「――過日、大名様とホムラ様が何者かに襲われたことは、ここにいる全員が承知していることです。無論、大名様の護衛の任を果たせなかった暗部は、その責《せ》めを負《お》わなければなりません。ですが、だからこそ暗部の強化が、今の急務なのだと私は思いますが、いかがでしょう」

巧《たく》みなプレゼンじゃないか、とカカシは鼻白《はなじろ》む。だが、言っている内容は正論なので、ケチをつけるところはない。

「まあ、わしは、キドの言う通りにしてもいいと思うが……」

大名が言い、ホムラのほうに視線を向けた。あとはお前が決めてくれ、と顔に書いてある。

腕組みをして、険《けわ》しい顔をしていたホムラが、一つ息を吐《は》いてから言った。

「暴漢なぞに後《おく》れをとり、傷を負ったわしにも責任はある。ただ、これは言《い》い訳《わけ》めくが、わしを襲ってきた者どもは、それなりの技量を持っていた。里に不穏《ふおん》な空気が流れているのは事実だ」

ホムラは、キドとカカシを交互に見て、続けた。

「次期の予算は、暗部の体制強化を最優先事項として組むこととする。よいな？」

2

会議が終わり、カカシが火影《ほかげ》室に戻ると、サイが来ていた。

夕刻だった。部屋にはオレンジ色の残照が差しこんでいる。

「襲われました、さっき」

カカシが火影の机に着くと、サイは言った。

「なに？」

会議での気疲れが、その一言《ひとこと》で吹き飛んだ。

手配書《ビンゴ・ブック》の上位者を何人かピックアップして、情報屋にあたるよう依頼したその帰りに、覆面《ふくめん》の二人組に襲われた、とサイは話した。

「強かったです。二人のうち、せめて一人でも確保したかったんですが——」

一人は逃げ、残る一人は自爆したという。

「自爆……」

「しかし、覚悟の自爆ではありませんでした」

カカシはサイの顔を見返した。

「一旦《いったん》は確保したその男に、尋問《じんもん》を試みました。話せば、今後の処遇を考慮してやるとエサをちらつかせて。でも、男がなにか言いかけたとき――」

男の体に異変が起き、爆発した。

「首の裏に呪印《じゅいん》のようものがありました。それが発動したんだと思います」

カカシは顎《あご》に手をやった。

話そうとしたら、呪印が発動した、というところに、カカシはある男の顔を連想していた。

「なんか……ダンゾウっぽいね、やり口が」

カカシが言うと、サイもうなずいた。

「確かに、あの人がボクたちを縛《しば》っていたやり方に似ています」

志村《しむら》ダンゾウは、かつて暗部《あんぶ》を裏で支配していた男だった。三代目火影の座を猿飛《さるとび》ヒルゼンと争い、その争いには敗れた。そののち、暗部のなかに「根《ね》」という独自の機関を作り、里の支配を目論《もくろ》んだ男だ。サイは、その「根」にいた。

ダンゾウはサイたち「根」の構成員の舌に、呪印を埋めこんでいた。「根」やダンゾウについて話そうとした途端、体が痺《しび》れて声が出なくなる、というのがその効果だった。

「お前を襲ったやつらも、ボスの意思に縛られてたってことか……。まあ、爆発するのと痺れるのとじゃ、結果は全然違うけどな」

「それと、もう一つ」

サイが言った。

「ボクを襲った二人は、戦いの途中で、尾獣《びじゅう》のチャクラをまといました」

「尾——」

カカシは目を剝《む》いた。

「本当か」

「はい。本人の姿が尾獣化したりはしなかったんですが、チャクラが爆発的に大きくなり、衣《ころも》となって体を覆《おお》いました。そのチャクラの衣に、短いですが、尾が」

カカシは唸《うな》り声《ごえ》を上げた。

「人柱力《じんちゅうりき》でもない者が、どうして尾獣の力を……」

「それも、二人も」

「死体を調べてみれば、なにかわかったかもしれないが、自爆されちまったんじゃな」
「それを調べられたくないというのもあって、爆死の呪印を施《ほどこ》されていたのかもしれませんね……」

カカシは目を閉じて、頭を巡《めぐ》らせた。

ダンゾウっぽいやり口……。このタイミングで襲われたサイ……。

そして、先刻の会議――カカシのカンが告げるものがあった。

カカシはサイに聞いた。

「サイ、お前、今回の事件について調べていること、誰かに話したか？」

「いいえ、誰にも。……なぜです？」

「誰にも話していないなら、どうしてお前は襲われたんだろうな」

「え……？」

「お前が事件を調べていると知ったから、敵さんはそれを阻止《そし》するためにお前を襲った。なら、敵はどこでそれを知ったんだ？　まさか、お前と情報屋が話しているのをたまたま盗み聞きして、それで慌《あわ》てて襲撃を思い立った、なんてことはないだろう」

「それはありえません。情報屋と接触するときはいつも細心の注意を払っています」

「ということは、お前が情報屋のところに行く前から、敵はお前が事件について調べていることを知っていたことになる」

カカシの言葉に、サイは沈黙した。

やがて「あ――」と小さくもらす。

「ここで先生に命令を受けたあと、ボクは暗部の資料室で事件について調べました」

「暗部の」

「はい。暗部の資料室は、閲覧《えつらん》した者の記録が残ります。ボクが事件に関心を持っていることは、その記録からわかります……」

「それだろうな、おそらく」

カカシは言った。

「でも、先生」

サイは声を低くした。

「それだと犯人は暗部のなかにいるということに……」

二人の視線がぶつかった。

ややあって、カカシは言った。

「実はさっき、上役が集まって予算会議をしてたんだが、次の予算は、暗部に多く回ることになりそうだ」

「暗部に」

「ああ。暗部の積木《つみき》キドが、会議中、今回の襲撃事件について触れてな、今こそ暗部の強化が急務ですなんて力説したんだ。会議には大名様《だいみよう》もホムラ様もいたから、暗部はまんまと予算獲得に成功したよ。……なあサイ、俺の言いたい意味がわかるか？」

「先生、それ……」

サイが息を吸いこんだ。どうやらサイも、カカシと同じ絵図を思い浮かべたらしい。

「暗部が事件を起こし、暗部がそれをネタに予算を増《ふ》やす。要は自作自演ってやつだ」

「……………」

「そう考えると、いろんなことの辻褄《つじつま》が合うんだ。大名様や御意見番が狙《ねら》われた理由もそこにある。上層部の危機感を煽《あお》りたいなら、上層部を襲うのが一番手っ取り早いからな。それに、大名様の移動ルートや当日の警備計画は、暗部の極秘《ごくひ》事項だ。外部の人間がそれを知るのは難しい。だが、犯人が暗部のなかにいると考えればそれはあっさり解決する」

さらに、とカカシは続ける。

「その襲い方も、程度を心得てる。投げこむクナイは一本。斬《き》りつけるときも、浅く一太刀《ひとたち》。それ以上のことをやれば、里を挙《あ》げての犯人捜しになるかもしれない。あくまで小さな事件でなければならなかったんだ」

「それを、キドさんが……」

「まだ確定はできないがな。俺の心証的にはクロだ」

「キドさんは、ダンゾウ様の金庫番と呼ばれていた人です。ダンゾウ様の計画が実行に移される際、必要なお金はほとんどすべてキドさんが裏で捻出《ねんしゅつ》していたという話を聞いたことがあります」

「その噂《うわさ》は俺も聞いたことがある」

うちは一族に対して、あるいは「暁《あかつき》」に対して、ダンゾウが各所で進めていた工作には、当然ながらかなりの金が必要だったはずだ。

諜報《ちょうほう》活動の過程で、情報提供者には報酬《ほうしゅう》を支払っていただろうし、長期にわたる移動や潜入には、それなりの経費がかかる。

過去、暗部に下りていた正規の予算のうち、どれだけが「根」に回されていたかはわからないが、「根」には「根」だけの資金ルートがいくつかあったはずだ。そのうちの一つあるいはすべてを、キドは担《にな》っていた。ダンゾウのそばにいた男だから、手下を呪印で縛るという発想が共通しているのもうなずける話だった。

「『根』の金庫番だった男が、『根』がなくなってから表舞台に出てきたということか……」

カカシは呟《つぶや》くと、サイに目を戻した。

「キドをマークしてくれないか。今のところ、容疑者の最有力だ」

「わかりました」

「ただし、少しでも危険だと思ったら、すぐに離脱してくれ。敵はお前の襲撃に一度失敗している。二度目は、さらに本気でかかってくるはずだからな」

「はい」

サイはうなずくと、机の前から一瞬で姿を消した。

サイが去った火影室で、カカシは椅子《いす》の背もたれに体を預《あず》け、天井を見つめた。

「……しかし、いろいろ起こるね、どうも」

そう独《ひと》りごちたとき、「火影様」と、通信班の忍《しのび》が駆けこんできた。

「砂《すな》より緊急連絡の鷹《たか》が来ました」

そう言ってカカシに小さな巻物を渡すと、通信班の忍は退室した。

カカシは巻物を広げた。

砂隠れの里に、うちはサスケが現れ、テロリストと接触。交渉ののち、テロリストを殺害した、とある。

「いやいや……」

カカシはかぶりを振った。

「起こりすぎでしょ」

3

「待機、ですか？」

聞き返したのは、いのだった。

「そう。要はなにもするなってこと」

火影《ほかげ》の机で、カカシはそう言った。

「なにもするなって……サスケくんの偽者《にせもの》が現れたんですよ？　このままほうっておくんですか？」

いのが気色《けしき》ばんだ。

「じゃあ、どうするのが一番いいと思うんだ？　里のなかで、あるいは他里に出向いて、うちはサスケの偽者が出たんですけど、なにか知りませんか？　なんて聞いて回るのか？」

「それは……」

と、いのが口ごもる。

サクラといのは、ついさっき砂隠《すながく》れから木《こ》ノ葉《は》に戻ってきたばかりだった。あうんの門をくぐり、その足でまっすぐカカシのもとへ来たのだ。

砂隠れから放たれた鷹《たか》が、木ノ葉に着いたのが一昨日のこと。

概要《がいよう》を知ったカカシに、サクラといのが、我愛羅《ガアラ》から直接聞いた詳《くわ》しい話を伝えたあと、
カカシは二人に待機しろと告げたのだった。

「今は下手《へた》に動かないほうがいい。というか、動くには手がかりが少なすぎる」

カカシは言った。

「でも」

「俺たちは」

いのの声を遮《さえぎ》って、カカシは言った。

「俺たちは、サスケがそんなことをするやつじゃないとよく知っている。だが、サスケがどういう人間かを知らない者が事件を知ればどうなる？　サスケが心変わりした。また犯罪者になったとデマが広がるかもしれない。そう考えたら、事件をお前たちだけに告げて、里内でおさめてくれた我愛羅の判断はナイスだった」

だから、木ノ葉《うち》も今は動くべきじゃない、とカカシは繰《く》り返《かえ》した。

「サクラも、それでいいな？」

「あの……」とサクラは切り出す。

「確か暗部《あんぶ》に、チャクラをコピーできる忍《しのび》がいるんですよね？　まさかとは思いますけど、関係ないですよね……？」

砂隠れで我愛羅たちと会ったとき、サクラ自身が否定した可能性ではあったが、カカシに直接確認しておきたくて、サクラは聞いた。

「いや、それはない。確かにそいつは標的のチャクラをトレースする術を持ってるが、今、長期任務中でな。変な言い方になるが、アリバイありってやつだ。だから、シロ」

カカシはきっぱりと言った。

「こっちからサスケくんに連絡をとることはできないんですか？」

と、今度はいのが聞く。

「うーん……ま、それができりゃあ一番いいんだが、難しいだろうな。気まぐれなあいつが各地の連絡ポイントに、いつアクセスするかはわからんし、木ノ葉への定期連絡を義務付けてるわけでもないしな……」

「やっぱりそうですか」

いのの声が沈む。

サクラも顔をうつむけた。

こちらから連絡はとれない。調査に動けば事件のことが広まってしまう。だとするなら、サクラたちができることは、カカシの言う通り、静観することだけだった。

「まあ、もちろん、状況が変われば、お前たちにも動いてもらうけどね」

カカシはそう言うと、「――それと、もう一つ」と言葉を継《つ》いだ。

「お前たちには残念な報告だ。ま、これは俺の力不足によるところも大きいんだが、昨日《きのう》上層部の会議があってな、『子ども心療室』への予算が削られることになった。次の予算は、暗部に大きく振ろうということになってな」

「暗部に？　どうしてですか？」

いのが聞いた。

「ほら、大名様《だいみよう》が襲われた事件あったろ？　あとまあ……それ以外でも、里のなかがちょっときな臭《くさ》いことになってんだわ。それで上層部が暗部を強化すべきだっていう考えになってな」

「きな臭いことってなんですか？」

いのがさらに聞くと、

「すまん。今はちょっと。時期が来たら必ず話す」

カカシは片手で拝むポーズをとった。

「動くなとか、時期が来たらとか、先生、のらりくらりしてばっかり」

ツンとするいのに、カカシは弱ったように苦笑した。

「そう責《せ》めるなって。いろいろあんのよ、火影って立場になると」

今日はもう帰って休め、とカカシに言われ、サクラといのは火影の家を出た。

「顔色、あんまりよくないけど、大丈夫？」

別れ際《ぎわ》、いのに言われた。

大丈夫と答えはしたが、家に帰って鏡を見たら、確かに疲れた表情を浮かべていた。

砂からとんぼ返りしてきた疲れもあるが、なによりも我愛羅から聞いたサスケの目撃情報がこたえていた。

――もう、なにやってんのよ、サスケくん……。

だが、抗議したくても、その声が届かない距離に、サスケはいるのだ。

言いたくても言えない言葉が、やってあげたくてもやってあげられないことが、どんどんサクラの中に溜《た》まっていくようだった。

ベッドに身を投げ出した。

ひんやりしたシーツの感触を頰《ほお》に感じたあと、仰向《あおむ》けになった。

人差し指と中指で、額《ひたい》に触れてみる。

——また今度な。

——ありがとう……

あのときの言葉が脳裏《のうり》によみがえる。

——今度って、いつ？　サスケくん……。

胸の内で呟《つぶや》いた。

4

分厚《ぶあつ》いガラスの向こうで、キド一派の医療忍者が立ち働いていた。

試験管を振る者や、測定器を使う者、そして紫色《むらさきいろ》のカプセルを箱に詰める者など、いろいろだった。

「順調か？」

カプセルを箱に詰めている部下を見ながら、キドは隣に立つマギレに聞いた。

「順調です。今月の予定量は問題なくクリアできそうです。以上です」

マギレの平板な声が返ってくる。

キドが里のはずれに作った研究施設《しせつ》だった。ここでは、マギレの指揮のもと、日々さまざまな薬品が研究・製造されていた。施設は地下にあり、地上部分の建物は、カムフラージュのためにレンガ造《づく》りの倉庫になっていた。この地下施設の存在は、無論キド一派しか知らない。

「培地の様子《ようす》はどうだ？　家に帰りたいと泣いてるんじゃないのか？」

「泣いてはいません。というよりも、薬で朦朧《もうろう》とさせていますので、培地の感情は見えなくなっています。以上です」

「そうか」

悪いやつがいるものだな、とキドはニタリと笑った。それにしても、と話題を変える。

「予算会議はうまくいった。拍子抜《ひょうしぬ》けするほどだったな」

「しかし、はたけカカシは、大名《だいみょう》と御意見番の襲撃が、我々のやったことだと気づいたかもしれません。以上です」

「気づかれてもかまわん。むしろ気づかないような男なら、今日まで生きのびて火影《ほかげ》になどなっていないだろう」

気づかれてもかまわない、というのは、負け惜しみではなく本心だった。

今回の二件の襲撃事件は、キドにとってあくまでテストにすぎなかった。

――尾獣《びじゅう》ドラッグ。

テストの結果は上々だった。尾獣ドラッグで能力を向上させた刺客《しかく》は、キドの指示通り、大名のそばにクナイを投げこみ、御意見番を浅く斬《き》りつけ、警備の上忍《じょうにん》の追跡をかわして、現場からうまく逃走してみせた。そして、キドはその事件をダシにして、暗部《あんぶ》への予算を上積《うわづ》みさせた。

尾獣ドラッグは使える、とキドは手ごたえを感じていた。それは二つの意味でだ。服用した人間にとっても、そして政治的な駆け引きにも使える、という意味でも。

だが、はたけカカシという男に関しては、今後も油断《ゆだん》のならない相手だと見なければならなかった。ふだんは眠たげな目をした男だが、要所で働かせるカンは鋭い。今回も、元暗部のサイを動かしている。

「サイがまだ我々の周《まわ》りをちょろちょろしているようだな」

キドは言った。

先日、刺客を二人、サイに差し向けたが、失敗したとの報告を受けている。一人は爆死したというから、尋問《じんもん》に対して口を割ろうとしたのだろう。

大名と御意見番のときもそうしたが、刺客には全員呪印《じゆいん》を施《ほどこ》して放《はな》っている。任務をなしとげて帰還した者だけが、その呪印を解《と》かれるのだ。

マギレが言った。

「先日の失敗は、私の見積もりが誤っていたせいです。尾が一本の者を二名行かせたのですが、元々のスキルとチャクラが不足していたようです。以上です」

「まあ、いいだろう。失敗はしたが、警告の意味にはなった。いよいよになれば、もっと尾の数の多い者を行かせればいい」

キドは言った。

ここで計画をとん挫《ざ》させるわけにはいかないのだ。

里の予算のスケールなどとは比《くら》べものにならないほどの金――

それを手にするには、まだもう少しやることがあった。


――キド、よかったな。これでお前もみんなのように忍者学校《アカデミー》に行けるぞ……。

――うん、お父さん、ありがとう！


不意に脳裏《のうり》をよぎった記憶が、キドの表情を硬くしていた。

「金だ……。もっと、金が……」

心に浮かんだ呪詛《じゅそ》が声となってもれていた。

第四章

1

サイはキドの監視を開始していた。

医療忍者のマギレとよく行動をともにし、里内にキドがいくつか所有する、隠れ家や訓練施設《しせつ》などを時々見回っているということはわかったが、それらの訪問先で、キドがなにをしているのかまではわからなかった。

施設のいくつかは、周囲に感知用の札が置かれ、迂闊《うかつ》には近寄れなかった。

侵入自体は不可能ではなかったが、向こうは、サイが事件について調べていることを知っている。深追いして、証拠の隠滅《いんめつ》を図《はか》られるのも得策ではない。かといって、ただ遠巻きに行動を監視しているだけでは、状況を打開できない。

なにか、突破口が欲しかった。

キドのマークを開始して、三日が過ぎた。

自宅に戻る途中、サイは、道端の電柱に小さな印《しるし》がつけられているのに気づいた。

情報屋からの伝言だった。印の意味は、サイにしかわからない。情報屋は、サイと会って話がしたいようだった。

情報屋に調べるように頼んだ、手配書《ビンゴ・ブック》の上位者についての情報は、キドをマークしている今、差し当たって知りたいことではない。だが、調べてくれたことに対しては報酬《ほうしゅう》を支払わなければならなかった。

翌日、サイは情報屋と落ち合った。

前回会った森ではなく、街中《まちなか》のビルの屋上だった。

大きな給水タンクのかげで、サイは情報屋と対面した。

「サイさんに言われた三名。調べてみたんですが、どうやら全員シロのようですね」

情報屋は言った。

「霧《きり》の抜《ぬ》け忍《にん》のテンゼンは、この一年ずっと雲隠《くもがく》れの里の近くで悪さをしてるし……、犯罪結社『亡《ぼう》』のバラキも、別の結社に吸収されて、昔ほどの力はないみたいです。魂抜《たまぬ》きのゲンバに関しちゃ、半年前に病気で死んでましたよ」

「そうか。ありがとう」

サイは礼を言って、約束の報酬を払った。

「他に、なにか気になる話はないか？」

サイが聞くと、情報屋は意味深《いみしん》な笑《え》みを浮かべた。

「や、まあ、実は大ネタがあるっちゃあるんですが……でもこれは、サイさんが今調べてる事件と関係なさそうですからね……」

「かまわないよ。話してくれ」

「いただけますか?」

これ、と情報屋は指で丸を作り、笑ってみせた。

「内容によるね」

サイが促《うなが》すと、情報屋は言った。

「――今回、サイさんに言われた三人の消息を調べるために、俺、結構いろんな土地を回ったんですよ。そうしたらちらほら耳に入ってきたんですよ、うちはサスケの目撃談が」

「サスケの?」

サイはわずかに眉根《まゆね》を寄せた。

「別に目撃されるぐらいいいだろう。サスケは今、罪《つみ》を償《つぐな》うための旅をしているんだ」

「ええ、あの人が世界を旅してるのは知ってます。でもね、聞こえてきた話が、どうもその、穏《おだ》やかじゃない」

「というと?」

「たとえば、どこそこの洞窟《どうくつ》で、闇《やみ》の武器商人を襲っただとか、某国《ぼうこく》の暗黒街で、それこそ犯罪結社みたいなのと接触したとか」

「サスケがどうして武器商人なんかを襲うんだ？」

「俺もよくは知りませんよ？　ただ、その話を教えてくれたやつが言うには、『木《こ》ノ葉《は》でテロを起こすつもりだから、安く大量に忍具をよこせ』てなことをサスケがその商人に言ったんですって。で、まあ、そんなこと言われりゃあ、相手は断《ことわ》りまさぁね。そしたらサスケは、でっけえ火の玉吹き出して相手をぶっ殺しちまったとか。犯罪結社のほうも、そんな感じで交渉決裂になって、結局は同じことになったみたいですけど……」

「いつの頃の話だ？」

「ここ一、二週間のことだと思いますけどね……」

サイはかぶりを振った。ありえない話だった。

「サスケがそんなことするはずがないよ。なにかの間違いだ」

「わかってますって。俺はただ、こんな噂《うわさ》を聞きましたよって話をしただけで……。やだな、そんな怖《こわ》い目して」

情報屋はスキンヘッドをつるりと撫《な》でた。

「あ、それはそうと、次の里の予算、暗部《あんぶ》に多く回るそうですね」

サイの機嫌《きげん》を損《そこ》ねてしまったと思ったのか、情報屋は愛想《あいそ》笑《わら》いを浮かべて、話をつないだ。

「サイさんが今調べてる、その、御意見番が襲われた事件、そいつを引き合いに出して、暗部のナントカって人が一席ぶったんでしょう?」

「有能な情報屋だな、アンタは。もうそんなことまで耳に入ってるのか」

「へへ、まあ、いろいろとありまして」

情報屋は上目使《うわめづか》いになった。

サイはもうここから去りたかったが、情報屋は続けた。

「——しかし、暗部ってところも、ほんとよくわかんない組織ですね。名前の通り暗殺もするんでしょうが、要人警護もするみたいだし、サイさんみたいに、なんか事件が起これば調べたりもするんでしょう?」

「ボクはもう暗部に籍《せき》はないよ。でもまあ、暗部が謎だらけの組織だっていうのは確かにそうだ。ボクだって、なかにいてもよくわからなかった」

「あれでしょう? 戦いが終わったら、その現場に行って、いろんな資料とか集めたりもするんでしょう?」

「……?」

サイは怪訝《けげん》な顔になった。

「なんだそれは?」

「戦闘の記録かなんかをデータベースにしてるんじゃないですか？　ちょくちょく同業者から耳にしますよ。忍界大戦《にんかいたいせん》が終わってすぐくらいに、終末《しゅうまつ》の谷《たに》の周辺で、木ノ葉の暗部の仮面をつけたやつを見かけたって。なんか、あそこらへんの土とか岩の破片を持って帰ってたそうですけど」

サイは首をかしげた。

暗部の扱《あつか》う任務は、確かに暗殺以外にも多岐《たき》にわたるが、戦地の土を持って帰るような話は聞いたことがなかった。

「忍界大戦のすぐあとぐらいと言ったか？」

「ええ。あと、橋の名前なんでしたっけ、サスケと、六代目になりそこねたダンゾウ様、あの人が戦った橋。同じ頃その橋のあったところにも木ノ葉の暗部が調査に入ったとかって、これは別のやつから。だから俺、てっきり暗部の人って、そういう仕事もすんのかなって」

サイは腕を組み、黙りこんだ。

情報屋が雑談の流れで口にした話は、妙にサイの心に引っかかった。

「あのー、サイさん？」

「また連絡するよ」

サイは言うと、追加の報酬を情報屋の手に押しつけて、その場を離れた。

2

「どうも情勢がよくないね」

というのが、カカシの第一声だった。

サスケの件について話があると言われ、サクラはいのとともに火影《ほかげ》室に呼び出されていた。

「よくないって、先生……」

サクラが机に歩み寄ると、カカシは言った。

「砂《すな》以外でもサスケの姿が目撃されてる。それも、複数回だ」

サスケは闇《やみ》の武器商人や、犯罪結社と接触し、いずれの場合も、「木《こ》ノ葉《は》でテロを計画している」と相手に告げたようだった。そして、協力しろと持ちかけて、断《ことわ》られたら相手を殺す、という展開も砂隠れで我愛羅《ガアラ》から聞いた話と同じだった。

「先生はその話、どこから？」

サクラが聞くと、

「うん、サイがね、情報屋から聞いてきた話なんだが……」

「サイが？　どうしてサイが情報屋と接触してるんですか？」

これは、いのが聞いた。

「いや、あいつに、ちょっと調べものを頼んでてね。その経過報告のときに聞いたんだけど」

「調べものって、ひょっとして前に言ってた、里がきな臭《くさ》くなってるってやつですか？　サイはそれを調べてるんですか？」

いのの矢継《やつ》ぎ早《ばや》の質問に、カカシは、「うん、まあそう」と苦笑《にがわら》いしつつ認める。

「あいつ一人ですか？　危険なことはさせてないでしょうね」

さらにいのが聞くと、

「それは大丈夫だって。あんまり無理はするなって言ってあるし、あいつはそこら辺の距離感は心得てるやつだよ。ナルトじゃないんだから」とカカシ。

しきりにサイの身を案じるいのに、カカシはなにかを察したかもしれないが、ここではなにも言わなかった。

「サスケくんのことですけど」

と、サクラは聞いた。

「このままだとどうなりますか？」

「このままだと、そうだな」

カカシは咳払《せきばら》いして、続けた。

「国際指名手配されて、世界中から追っ手が差し向けられる」

サクラは息を吸いこんだ。

「ただまあ、一足飛びにそういうことになるんじゃなくて、まずは五影《ごかげ》会談が招集されるだろうな。サスケはナルトと一緒に世界を救った英雄でもある。そういう男を、なんの話し合いもなく指名手配するようなことはせんよ」

「だったら大丈夫じゃない？」

いのが明るく言った。

「だって今の五影は、一緒に忍界大戦《にんかいたいせん》を戦った仲間なんだから、目撃されてるサスケくんが偽者《にせもの》だってことぐらい、すぐにわかってくれるでしょ」

そう楽観的でいいのだろうか。サクラの胸に兆《きざ》した不安は、続くカカシの言葉でさらに膨《ふく》らむ。

「しかし、里長《さとおさ》個人の気持ちはそうでも、各里の内部の声がそうでない場合もあるからな。里長は、里の声の代弁者という立場でもある。サスケ討《う》つべしという声が高い里が出てくれば、五影全員の足並みがそろうとは限らん。追っ手の編成だけでもやっておこう、なんて言う里も出てくるかもしれない」

「そんな……」

いのの表情が曇《くも》る。

「もし五影会談があったら、私も同行させてください」

サクラは強い口調で言った。

「間違ってもサスケくんを指名手配犯なんかにさせられませんから」

「わかってるよ。もし会談が招集されたら、そうする。ま、しかし、本音《ほんね》を言うなら、サクラじゃなく、サスケ本人が出てきて、潔白を主張してくれるのが一番なんだけどね」

どこでなにしてんだか、とカカシがぼやく。

「連絡ポイントに伝言とかは託してあるんですか?」

いのが聞いた。

「そりゃ、もちろん。お前のニセモノが出た、至急連絡乞《こ》う、てな。でも、今んところ反応なし」

いのが、はあ、と溜《た》め息《いき》をつく。

「もし、サスケくんが出てこないなら……今あちこちで目撃されてるサスケくんが、偽者だっていうことを私たちが証明するしかないですね」

サクラが言った。

「それはそうだが、できるか？　我愛羅が感知したチャクラは、サスケのものだった。五影会談が開かれたら、我愛羅としてもそのことに触れざるをえないだろう。そうなったとき、この仕掛けがわからないと他の里長を説得できない」

「………」

サクラは唇《くちびる》を噛《か》んだ。

「やるしかないです」

言ったが、声に力はこもらなかった。

3

状況が、キドの望む方向に変化しつつあった。

偽《にせ》のサスケは、キドが指示した通り、世界各地で闇《やみ》社会の住人と接触し、テロの意志を見せたうえで相手を殺害していた。

砂隠《すながく》れの里でテロリストが殺害された事件は、風影《かぜかげ》が里外にもれぬよう手を打ったようだが、それ以降起きた事件については、徐々に噂《うわさ》となって各国に広まりつつある。人の口に戸は立てられない。噂はやがて、各国各里の上層部も知るところとなり、うちはサスケをどうすべきかが話し合われるだろう。

すぐにサスケを討《う》て、という結論にはならないはずだ。それはキドにもわかっている。忍界大戦《にんかいたいせん》の功労者を問答無用で犯罪者にするようなことを、各里の長《おさ》がするはずがない。

だが、状況がそのようになっている頃には、本物のうちはサスケがアクションを起こすはずだった。

本物のサスケは旅を打ち切り、一旦《いったん》は木《こ》ノ葉《は》隠《がく》れの里に戻ってくるだろう。

キドの狙《ねら》いはそこだった。露骨《ろこつ》に偽者《にせもの》を動かし、当人が姿を現さざるをえない状況を作る。そして、里に戻ったあの男を、尾獣《びじゅう》ドラッグで強化したキドの私兵で捕える。捕えたあとは――

里内某所《ぼうしょ》――隠れ家のひとつにキドはいた。

執務《しつむ》室で一人。キドは薄笑いを浮かべていた。

「早く出て来い。うちはサスケ……」

低く呟《つぶや》いた。

「お前は金になる……。金に……」

4

目撃されているサスケが偽者《にせもの》だと証明する――

火影《ほかげ》室で言うには言ったが、自宅に戻って考えを巡《めぐ》らせても、一向にアイデアは浮かばなかった。

どうすれば偽者だと証明できるか、ということよりも、どうしてサスケくんは里に戻ってこないの、ということばかりを、サクラは考えてしまうのだった。

――早く帰ってきてよ、サスケくん。

――本物の俺がそんなことするはずないだろって、そう言ってよ……。

心が弱気の虫にとりつかれている。だから、考えがまとまらず、サスケくんに会いたい、とそればかりを念仏のように唱《とな》えてしまう。

――だめだ、こんなんじゃ……。

サクラは家を出た。

少し体を動かしたほうが気分も晴れるだろうと思ったのだ。

行き先を決めずに歩き出したが、気がつくと忍者学校《アカデミー》の近くまで来ていた。繁華《はんか》街《がい》の喧《けん》騒《そう》から遠ざかりたいという意識が働いたせいかもしれない。

昼下がりの学校から、子どもたちの声が聞こえてくる。

フェンス越しに、少し見学していこうと思った。

校庭のほうに回ると、十歳前後の子どもたちが、組手《くみて》の稽古《けいこ》をしていた。そして、稽古をつけている先生を見て、あ、と思う。ナルトだったのだ。

「ほらほら、手数《てかず》だけ多くてもだめだぞ！　ちゃんと次の攻撃のことを考えて体をさばくんだってばよ！」

大戦後、ナルトがちょくちょく忍者学校《アカデミー》で臨時講師をしているのは聞いていた。こうして見ると、なかなか立派に務《つと》めているようだ。

「おい、試合が終わったら、ちゃんと和解の印《いん》を結べよ！　強いとか弱いの前に、それが忍者のルールなんだからな」

組手の作法を守らない生徒に、ナルトがコツンと拳骨《げんこつ》を落とす。

——アンタも昔はそうだったんだよ。

心のなかで言って、サクラは小さく笑う。

ひと通り全員の指導を終えると、ナルトは生徒たちを整列させて、互いに礼をした。

顔を上げたナルトが、サクラに気づき、「おー！」と声を上げる。

「サクラちゃん！」

サクラは小さく手を振った。

「お前ら、ちょっと待っててくれな」

ナルトは子どもたちに言い置くと、サクラのほうに駆け寄ってきた。

「どうしたんだ？　今日は休み？」

ナルトに聞かれ、サクラは、

「うーん、まあ、そんなようなもんかな」

と言葉を濁《にご》す。

「結構ちゃんと先生してるじゃない」

サクラが言うと、

「だろー？」

ナルトはにかっと笑い、鼻の下を指でこする。そして、「あ、そうだ！」と手を打つ。

「せっかくだからさ、サクラちゃんも教えていってよ。あいつらに組手」

「えぇー？　私はいいわよ」

「いいじゃん、ちょっとぐらい。怪力くノ一のスゴ技《わざ》、伝授してやれってばよ」

「あのね、いちいち怪力ってつけんの――」

「おーい！　お前ら、今日はすげーゲストの先生が来てくれたぞー！」

サクラの抗議に耳を貸さず、ナルトは子どもたちに向けて大声を出した。

「怪力くノ一、春野《はるの》サクラ先生だってばよ！」

「二回も言うかー！」

サクラがつっこんだところへ、子どもたちが声をそろえた。

「よろしくお願いします。怪力センセー！」

「ほら、アンタが余計なこと言うから！」

サクラが鼻息を荒くしても、ナルトは取り合わない。「ほら、早く！」と子どもたちのほうへ戻っていく。

——ったく、アイツは……。

だが、こうなってはサクラも少しは教えていくしかない。かぶりを振りつつ、校庭に足を踏み入れた。

そして、いざ子どもたちに混ざって組手の指導をしてみると、意外なほど気分が晴れていくのがわかった。

一口に指導といっても、子どもたちのレベルはバラバラだから、そのやり方は相手によって変えなければならない。驚くほど飲みこみの早い子もいれば、何度言ってもうまくやれない子もいる。それらはすべて、その子たちの個性だった。

組手の手本を示しながら、それぞれの生徒に合った指導の言葉を考える。体と頭、両方を働かせることで、ここ数日、心に溜《た》まっていた澱《おり》のようなものが洗い流されていくのがわかった。

終業のチャイムが鳴るまで、サクラは夢中で指導にのめりこんだ。

稽古の終わりに、ナルトは生徒たちを整列させて言った。

「みんな、よく頑張《がんば》ったな。――じゃあ最後に、本日のゲスト講師、春野サクラ先生から、ありがたーい話があるから、よく聞いとくよーに」

「はあ!?」

突然ナルトにそう振られて、サクラは面食らった。

「ちょ、ちょっと待ってよ。なにそれ」

「なんでもいいからさ。卒業生として、後輩たちに一言《ひとこと》」

「なんでもいいって、そんなの急に浮かぶわけ――」

「サクラ先生、手短《てみじか》にお願いしまーす」

と、生徒の一人が言い、周《まわ》りがどっと笑った。どの時代にもクラスにお調子者はいるのだ。

――くそ、ナルトのやつ……！

と、横目で睨《にら》みつつ、サクラは必死で言葉をひねり出した。

「えと……どうしよう、こういう展開は予想してなかったんだけど、じゃあ、ほんとに短めにね」

子どもたちのまっすぐな目に見つめられながら、サクラは話した。

今日はみんなと稽古ができて、本当に楽しかった。組手は忍《しのび》の戦いの基本だから、おろそかにせず反復練習しようね。

そして、最後はこう締《し》めくくった。

「――それから、みんなのなかにも知ってる子がいるかもしれないけど、私は医療忍者として、『子ども心療室』、というのを作りました。これは、辛《つら》いことがあって心が傷ついてしまった子どもたちに寄り添って、その傷を一緒に治していこうっていうところなの。心って、ほんとに難しいものよね。他人の心がわからないのは当たり前だけど、時々自分の心がどうなってるかもわからなくなる。体は組手とか訓練で強くなるけど、心はどうすれば強くなるんだろうね。これからみんなには、体もそうだけど、心も強い忍者になってほしいなって思います。そのためには、みんな、たくさん失敗して、たくさん恥ずかしい思いをして、あとはそうだな、たくさん、人を好きになってください。そうすれば、きっとみんな――」

「ほい」とナルトから差し出された缶ジュースを、サクラは「ありがと」と受け取った。

授業が終わり、二人は忍者学校《アカデミー》の近くの公園に来ていた。

ベンチに並んで腰かけ、二人でジュースを飲む。

「サンキューな、サクラちゃん。授業手伝ってくれて」

「ううん。私のほうこそ楽しかった。いい気分転換になったよ」

「ならよかった」

「でも、ほんと驚いた。ナルト、先生の素質あるんじゃない？」

「へへ、俺ってば落ちこぼれだったたからさ、できないやつの気持ちがわかるんだってばよ」

「そっか……」

「つーか、サクラちゃんだってスゲーじゃん。俺なんて、たまに学校来て教えてるだけだけど、サクラちゃんはもっとちゃんとしたやり方で子どもたちの相手してんだろ？」

「全然だよ、私なんて」

サクラはかぶりを振った。今、正面から褒《ほ》められるのは、なんだか少しこたえた。

ジュースを一口飲むと、ほっと息を吐《は》いて続けた。

「だめだね、私。さっき子どもたちに、心も強い忍者になってくださいい、なんて言ったけど、それが一番できてないの、今の私だもん」

「なんかあったのか?」

ナルトは言って、飲みほしたジュースの缶を、数メートル向こうのゴミ箱にシュートした。それが見事に決まったのを見て、サクラはふと、ナルトに全部話してみる気になった。

「サスケくんがね……」

「サスケェ?」

「サスケくんが、今、世界のいろんなところで目撃されてるの。でも——」

この話、ナルトにしてもよかったんだろうか、と一瞬ためらいもあった。だが、結局サクラは話した。いずれナルトの耳には入ることだろうし、それならば自分の口から伝えたかった。

目撃されているサスケは絶対に偽者で、でも、どうすればそれを証明できるかわからない。

ナルトは口を挟《はさ》まずに話を聞いてくれた。そして、言った。

「ふーん、そっかー。そんなことになってんだなー」

深刻さのかけらもない、軽い口調に、サクラは少し肩すかしを食らったような気がした。

「そっかーって、アンタ、驚かないの？」

「なんで？　だってそのサスケ、ニセモンなんだろ？」

「そりゃそうだけど……」

ナルトの薄い反応が、サクラには少し不満だった。驚いたり、怒ったり、もう少し感情を激するかと思ったのだが。

「ニセモンなら心配いらねえって。サクラちゃんも、あんま思い詰めんなよ」

「だけど、誰がどんな目的で、それにどうやって偽者を作り出してるか、まだわからないんだよ？」

「大丈夫だって」

そう言って、ナルトは笑ってみせる。

「はあ」とサクラは溜《た》め息《いき》をつく。

「なんか、アンタと話してると、私ばっか心配してるのが馬鹿らしくなってくるわね。サスケくんも、全然こっちからの連絡に反応してくれないし……」

「それそれ！」

と、ナルトが急に大きな声を出した。

「なによ、急に」

「サスケが反応してねえから、俺も心配してねえんだってばよ」

「全然わかんない」

「だからさー」

なんて言ったらいいのかな、と頭をかき、ナルトは続ける。

「自分のニセモンがうろついてるのに、アイツが全然里に戻ってこないってことは、アイツ自身、大した事件だと思ってねえんだって」

「サスケくんが……」

サクラは呟《つぶや》いた。大した事件だと思っていない……。

「アイツならこう言うってばよ。『……そんなつまらんことで、俺を里に呼ぶな。お前たちでなんとかしろ』」

ナルトは、サスケのモノマネを交《まじ》えて、そう言った。

サクラは、ついプッと吹き出してしまった。そして、霧が晴れていくように、ナルトの言う通りだと思った。

自分はなにをクヨクヨしていたんだろう、と思う。後ろ向きの思考が切り替わり、背《せ》筋《すじ》がしゃんとなるのがわかった。

「そっか。そうだよね」

サスケが里に戻ってこないということは、サスケ本人が今回の一件を深刻にとらえていないということ――ナルトらしい単純で明快な意見だが、今のサクラにとってはなにより
も救われる言葉だった。

自然に笑《え》みが浮かんでいたらしい。

「サクラちゃんは笑ってるのが一番だってばよ」

ナルトが言って、にんまりと歯を見せた。

サクラは大きく息を吸いこんだ。空気までおいしく感じられるのは、気分が変わったからだろう。

「ありがと、ナルト」

サクラは言って、ベンチから立ち上がった。

「アンタと話して元気出たわ」

ナルトが、にしし、と笑う。

「しっかし、サスケってば、ほんと困ったやつだよなー。サクラちゃんのこと困らせてばっかなんだから」

兄貴風《かぜ》を吹かすナルトがおかしくて、サクラはまた吹き出した。

5

ナルトと話した翌日、サクラは綱手《ツナデ》に声をかけた。相談に乗ってほしいと。

昼過ぎ、食事処《しょくじどころ》のテーブルを挟《はさ》んで二人は向かい合った。

サスケが各地で目撃されていることを、綱手はもう知っていた。里長《さとおさ》を退《しりぞ》いてしばらく経《た》つが、カカシが配下の者を使って、重要な案件については時々知らせてくれるのだという。

「目撃されているサスケくんは本物のはずありません。でも、我愛羅《ガアラ》くんはサスケくんと同じチャクラだったって。そこにどういう秘密があるのか、いい知恵が浮かばなくて……」

サクラがそう言うと、綱手は「うむ」と腕を組んだ。

「顔形だけじゃなく、チャクラまでコピーする方法、か……」

「暗部《あんぶ》にそういう術を使う忍《しのび》がいることはいるそうなんですが、今は任務中なので、今回の件には関わりないそうです。――なにか思いつきませんか、師匠《ししょう》」

変化《へんげ》の術ではチャクラまでコピーできず、象転《しょうてん》の術だと、術者とサスケ本人に関わりがないと、同一体を作れない。

「……難しいな」

しばらく黙ったあと、綱手はそう言った。

「お前が今言った方法以外で、となると、私にもすぐには思いつかんな。まさか白《しろ》ゼツが生き残っていたわけでもないだろうし」

「それはないと、私も思います」

テーブルに沈黙が下りた。

やがて、酒で口を湿らせた綱手が言葉を継《つ》いだ。

「やはり、一番可能性があるのは、象転の術だろうな」

「でも、それだとサスケくんと術者につながりがあることに……」

「うむ。自分のチャクラが依《よ》り代《しろ》に分け与えられるわけだからな。しかし、術者が、なんらかの方法で、サスケに気づかれずにサスケのチャクラを吸い取り、依り代に与えたとすれば、サスケの与《あずか》り知《し》らぬところで偽者《にせもの》が跋扈《ばっこ》している状況というのは生じうる」

「サスケくんに気づかれず……」

「そうだ。しかし、だめだな、これも」

綱手はすぐにそう言った。

「サスケほどの実力者が、知らないうちにチャクラを吸い取られていた、なんていう状況がまず考えにくい」

「確かに、そうですね……」

サクラは小さくうなずいた。だが、今の綱手の意見は掘り下げてみる価値があるような気がした。

顔形を同じにするのは大した問題ではないのだ。変化の術自体は、さほど難度の高い術でもない。

問題はチャクラを同じにすることだ。そして、綱手が言うように、チャクラは相手から吸い取ることができるし、そのチャクラを誰かに渡すこともできる。

受け渡し、入れ替え、移動、そういうことが可能なのだ、チャクラというものは。

サスケの知らないところで、サスケのチャクラの受け渡しがあった――

そこにどんなカラクリがあるかだった。闇《やみ》のなかで手探りしていたところ、やっと指先になにかが触れたような感覚がある。

「当人に気づかれず……」

サクラは呟《つぶや》いた。うつむいて、考えに集中する。顔の横に垂《た》れた髪を、そっと耳のうしろに流したとき、はっと閃《ひらめ》くものがあった。

「髪の毛……」

「どうした？」

綱手が怪訝《けげん》な顔をした。

サクラは言った。

「綱手様、たとえばですけど、髪の毛とか皮膚《ひふ》みたいなものから、その人のチャクラを抽《ちゆう》出《しゆつ》することは可能でしょうか？」

「髪の毛？　それは、まあ不可能ではないだろうな。ごく微量だろうが」

綱手は言った。

「要はそこに個人情報物質が含まれていれば、理論上は可能だ。そういう意味では、髪の毛に限らず、血液や汗でもいい。ただしその保存状態や、その人物の体から髪の毛や皮膚が脱落して、どれだけの時間が経過しているかとか、クリアする条件は多いだろうが……。サクラ、じゃあお前、今回のこれも……」

「ただの思いつきなんで自信はないです。でも、サスケくんの知らないところで、サスケくんのチャクラが使われたって考えたら、そういう方法なのかなと」

「……サスケの髪や皮膚を入手して、そこからチャクラを……」

綱手は宙を睨《にら》んで、言った。

「悪くない線かもしれんな。技術的には相当難しいが、しかし、今まで出た方法のなかでは、一番正解に近いような気がする」

「でも、仮にそういう方法でサスケくんのチャクラが作られたとして、それをどうやって依り代に与えたか、ですよね」

「その辺《あた》りも考えないとな。外科的手術で与えたのか、あるいはカプセル、薬のような形にしたのか……」

考えを煮詰《につ》めなければならないことは多かった。だが、思考のとっかかりはできた。

「師匠、ありがとうございます。もう少し自分で考えてみます」

サクラは綱手に礼を言った。綱手はうなずき、

「頑張《がんば》れ、サクラ。……ま、とことん議論に付き合ってやってもいいが、私はもう隠居の身だからな。あとはお前たちに任《まか》せるよ」

「任せてください、師匠」

サクラも力強くうなずいた。

——お前たちでなんとかしろって、サスケくんも言ってるみたいですから……。

もう少しここで飲んでいくという綱手と別れ、サクラは食事処を出た。

木《こ》ノ葉《は》病院に、参考になりそうな文献《ぶんけん》でも探しに行こうかと歩き出したとき、「サクラ」

と声をかけられた。

振り返ると、サイがこちらに向かって歩いてくる。

「サイ」

「食事してたの？」

「うん、師匠と。これから病院に調べものに行こうと思って」

「そうか」

火影室《ほかげ》に用があるというサイと並んで歩き出した。

カカシから聞いた話を思い出して、サクラは言った。

「聞いたよ。大名様《だいみよう》が襲われた事件、調べてるんだよね」

「カカシ先生から聞いたの？」とサイ。

「うん。昨日《きのう》、いのと一緒に火影室で教えてもらった」

「そうか。まあ、君たちにならー先生も教えるか」

サイは呟くようにそう言った。

調査は捗《はかど》ってるの、と聞こうとしたが、それは遠慮しておいた。あまり立ち入ったことを聞くのも悪いと思ったのだ。応援や助言が必要なときは、サイが自分からそう言うだろう。

「ところで、サスケのこと、もう聞いた？」

サイが声を落として聞いてきた。

サクラは、うんとうなずく。

「でも、実は私といのは、サイよりも先に知ってたの。砂《すな》に出張に行ったとき、我愛羅くんから聞かされてね」

サクラは、そのときのことを話した。

「チャクラまでサスケと同じだったたって？」

サイが驚く。

「うん。我愛羅くんが見たサスケくんはそうだったって」

「ボクにサスケのことを教えた情報屋は、チャクラのことまで言ってなかったな……」

サイの顔が険《けわ》しくなった。

「でも、さっき綱手様と話してて、思いついたことがあるの。チャクラは受け渡しができる。だからサスケくんのチャクラが、サスケくんの知らないところで悪用されたのが今回のケースなんじゃないかって」

「知らないところで……」

サクラは、今しがた綱手と話していて見つけた仮説を、サイにも話してみた。

「髪の毛、皮膚、か……」

サイは呟くと、不意に足を止めた。

「どうしたの？」

サクラはサイを振り返った。

サイは険しい顔のまま、顎《あご》に手を当てている。

ねえ、とサクラが続けようとしたとき、サイが言った。

「サクラ、一緒に火影室まで来てくれない？」

第五章

1

サイと二人で火影室《ほかげ》に行くと、部屋にはカカシといのがいた。

いのは、どことなく疲れた表情を浮かべていた。

「いの、来てたの」

「うん、ちょっと試してみたいことがあって、カカシ先生と通信班の部屋に行ってたんだけど……」

「通信班？」

サクラが怪訝《けげん》な顔になると、机についていたカカシが答えた。

「いや、いのが心伝身《しんでんしん》の術で、こっちから直接サスケに連絡をとれないかやってみるって言うからさ、試してみたんだけど……」

「やっぱ、無理」

いのが肩をすくめて言った。

「サスケくんの現在地が、おおよそでもわかればなんとかなったかもしれないけど、この広い世界をあてずっぽうで探すのは、やっぱ無理があったわ。ちょっとバテた」

いのが言って、舌を出した。山中《やまなか》一族の使う心伝身の術は、かなりの集中力を要するのだ。長時間は使えない。

「それより、お前らはどうしたの？」

カカシの問いに、サイが答えた。

「先生にお話があって」

「うん？」

「その、偽《にせ》のサスケの件ですが……ひょっとしたら暗部《あんぶ》が関係しているかもしれません」

「なに？」

カカシの目が鋭くなった。

サイが続ける。

「サクラから聞きました。今回目撃されているサスケの偽者《にせもの》は、容貌《ようぼう》だけでなくチャクラまでサスケのものなんですよね？」

「我愛羅《ガアラ》の話だとな」

「サクラが言うには、髪の毛や皮膚《ひふ》からでもチャクラを抽出《ちゅうしゅつ》できるそうなんです。偽のサスケがまとっているチャクラは、そうやって作られたものかもしれない」

「髪の毛や皮膚か……」

カカシは呟《つぶや》いて、思案顔になった。

「確かに盲点だったかもしれないな」

「や、まだ仮定の話ですよ？　そういう方法なら、サスケくんの知らないところで、サスケくんのコピーがうろついていることの説明にはなるなって……」

先走るサイに、サクラは少し焦《あせ》った。

カカシが言う。

「まあ仮定は仮定としてだ。しかし、そこになぜ暗部が出てくるんだ？」

「情報屋の男が気になることを言っていたんです。……大戦のすぐあと、終末《しゅうまつ》の谷《たに》や、サスケとダンゾウ様が戦った橋に、木《こ》ノ葉《は》の暗部の者が調査に入っていたって」

「暗部が？」

「はい。暗部はその場所の土や岩の破片とかを持ち帰っていたそうなんです」

「そんなもの持って帰ってどうする……あ」

いのが、言葉の途中で、なにかに気づいた。

サクラが閃《ひらめ》くのも、ほぼ同じタイミングだった。

「そうか。サスケくんの、個人情報物質が欲しかった……」

サクラが呟《つぶや》くように言うと、サイが「そう」とゆっくりうなずいた。

「確かに、その場所なら、サスケの髪だとか皮膚のかけらだとか、そういうもんは入手しやすいな」

　カカシが言った。

　それに血液もだ、とサクラは心のなかで付《つ》け足《た》す。

　なにしろ終末の谷は、サスケとナルトが死力を尽《つ》くして戦い、決着をつけた場所でもあるのだ。

　二人はその戦いで、片腕を失っている。つまり、血液や体組織が、あの戦いの場には残っていたということなのだ。

　そして、サスケとダンゾウが戦った橋もだ。終末の谷と同様、サスケの髪の毛や血液などが入手可能だったろう。しかもそれを忍界大戦《にんかいたいせん》の直後に採取したのなら、サスケの個人情報物質の「鮮度」は高かったはずだ。

　しかし、と、カカシが言った。

「俺には専門的なことはわからんが、そうやって持ち帰ったもののなかからサスケの髪の毛や皮膚なんかを選《よ》り分《わ》けて、さらにそこからチャクラを抽出するなんて、ソートー大変なことなんじゃないか？」

「気の遠くなるような作業だと思います」

サクラは言った。だが、おそらく暗部はやったのだ。その作業を。

サクラは、あのときの終末の谷を思い出してみる。

戦いが終わり、ナルトとサスケは崩壊《ほうかい》した巨像の上に横たわった。

サクラは二人の腕を治療し、カカシはそれを微笑《ほほえ》みながら見守っていた。

そして、新時代への希望を感じながら、あの谷をあとにした――

その谷に、暗部の者たちが降り立ったのだ。サクラたちが去ったあと。

彼らは土を削り、岩の破片を拾い集めた。サスケの「痕跡《こんせき》」を求めて――

それがもし現実に行われたのだとしたら、その作業の隠微《いんび》さに、サクラは不快の念しか覚えない。

「でも、暗部はサスケくんの偽者をあちこちで目撃させて、なにがしたいんだろう……？」

いのが言った。

「それはボクにもまだわからない。だけど、もし暗部が、今ボクらが話しているやり方でサスケの偽者を作ったのだとしたら……カカシ先生」

と、サイはカカシに顔を向けた。

「ボクを襲ったやつらが、尾獣《びじゅう》のチャクラをまとっていたことの説明がつくかもしれません」

「それはつまり、暗部が人柱力《じんちゅうりき》の個人情報物質を集めて、そこから尾獣のチャクラを取り出したってことか？」

「可能性はあると思いませんか？　他者のチャクラを身にまとう、という点で二つの事件は共通しています」

「いつもキドの横にいるマギレって男は医療忍者だ。キドの命令で、あるいはそういう技術を研究していたとしてもおかしくはないな」

「ちょ、ちょっと待ってよ。二人だけで話さないで」

いのが割って入った。サクラも話が見えず、混乱する。

「あの、尾獣のチャクラって、どういうことですか？」

「ああ、すまんすまん。えーと……どう説明したらいいかな」

カカシは頭をかいたあと、パンと手を打った。

「あ、とりあえず、君たち三人、今から同じチームね」

「え？」

「へ？」

サクラといのがきょとんとすると、サイが冷静に言った。

「確かに、ボクたちが追っている敵は同じである可能性が高い。だとするなら、情報を共有して、チームとして動いたほうがいいかもね」

「敵……って？」

サクラが聞くと、サイが言った。

「暗部の積木《つみき》キド。そしてマギレ。ボクは今、この二人をマークしている」

大名《だいみよう》と御意見番の襲撃事件を調べていたカカシとサイは、有力な容疑者としてこの二人に行きついた。

襲撃事件は、暗部への予算の増加を狙《ねら》った自作自演である可能性が高く、また、サイは調査の過程で、刺客《しかく》に狙《ねら》われた。その刺客が、尾獣のチャクラをまとっていたのだという。

「尾獣のチャクラ……」

サクラが呟くと、いのが言った。

「じゃあ、キドたちは、終末の谷でナルトの個人情報物質も集めたのかな？　そこから九尾のチャクラを抽出して……」

「でも、ボクを襲ったやつらがまとったチャクラは、尾が一本だけだったけど……」

「尾の数は関係ないかもしれないわね」

サクラが言った。

「ナルトも、最初の頃は、封印の解《と》ける段階によって、現れる尾の数が違っていたし」

「いやー、いいね、そうやって打ち合わせしてる感じ。即席チームだけど、うまくいきそうじゃない」

カカシが、場にそぐわない呑気《のんき》なことを言う。

「からかわないでくださいよ、先生」

いのが言った。

サイも続ける。

「そうですよ。それに即席と言っても、ボクとサクラは元々同じ班だし、いのと組むことにも全然不安なんてありませんよ」

ね、いの、とサイに声をかけられて、いのの顔が一瞬赤くなった。

「そ、そうよね！　楽勝よ！」

いのの気持ちを知るサクラは、くすりと小さく笑う。

「いやいや、冷やかして悪かった。……ま、本音《ほんね》言うとさ、俺もお前らと混《ま》じって外で動き回りたいんだけど、こういうのつけるようになっちゃうとね、それもなかなか」

カカシは言って、火影の笠《かさ》をつんつんと触《さわ》った。そして、顔つきを引《ひ》き締《し》めて続ける。

「今回の事件、容疑者として追うべきは、もちろんキドとマギレだが、一方で暗部の独断を許してきた俺にも責任の一端はある。その点については、お前たちにも申《もう》し訳《わけ》なく思っている」

サクラたちはカカシの顔を見返した。

カカシは続けた。

「俺は暗部という組織のあり方を早急に見直すつもりだ。外で動き回れないぶん、俺はそっちに知恵を絞《しぼ》る。だからキドとマギレのほうは、頼んだぞ」

サクラたちは、「はい」と同時に答えた。


「猪鹿蝶《いのしかちょう》ならぬ、いの・サク・サイの急造チームね」

いのが言った。

「語呂《ごろ》悪くない？」

サクラがつっこんだ。

「語呂が悪いくらいいいよ。チームワークさえよければ」

サイがうなずいた。

火影室を出た三人は、とりあえず木ノ葉病院の屋上に場所を移して、これからのことを打ち合わせた。

「ボクは引き続きキドの行動を監視することにする」

「私たちは……どうしよう？　やっぱり、サスケくんの偽者のほうを調べればいいかな」

　いのが言って、サクラを見た。

「そうね。ただ、暗部が本当にサスケくんの個人情報物質を集めてたのか、その辺《あた》り、もう少し裏をとったほうがいい気もする。今のところ、サイが情報屋から聞いた話だけだもんね」

「そうか。でも、裏をとるって、どうやって」

「私、思ったんだけど、暗部がサスケくんの髪の毛や血液を集めていたとして、それを探しに行った場所って、終末の谷や、あの橋以外にもあるような気がするの」

「他の場所にも調査に入ったってこと？」

　サイが聞いた。

「そう。チャクラの抽出に使う髪の毛や血液は多いに越したことはないと思うの。てことは、いろんな場所からそれを集めてたんじゃないかな」

「たとえばどこ？」と、いの。

「里の外まで範囲を広げちゃうと、私にもわからない。だけど、里のなかに限れば、すぐに浮かぶのはサスケくんの家。あとは、南賀《なか》ノ神社《じんじゃ》とかね」

「うん、まあ、その二か所は有力かもね」とサイ。

「より新しいサスケくんの髪の毛ってことなら、家より南賀ノ神社のほうが、暗部が行った確率は高いかも」

サクラがそう言うと、

「んー、でも、どうだろー」

いのが腕を組んで宙を睨《にら》む。

「わざわざ髪の毛探しに、そんなとこ行くかなー。終末の谷でサスケくんの血液を採取するっていうのは、まあ持ち帰れる公算が高いと思うけど、南賀ノ神社でサスケくんの髪の毛を探すとなると、さすがにそれは難しいんじゃ……」

「探しに行って、なければないでいいのよ。でも、最低一度は調べに行ってると思うの。時期は、大戦のすぐあと」

その時期、南賀ノ神社の近くで、暗部を見かけた者はいないか、聞きこみをしてみるのはどうだろう、とサクラは提案した。

「もし見たって人がいたら、少なくとも状況証拠《しょうこ》にはなるわ」

「オッケー。やってみましょうか」

いのが同意したことで、三人の動き方は決まった。

「定期的に会ってお互いの情報を交換しよう。どんな小さな証拠でも、集めていけばそれはキドを追いこむことになる」

サイの言葉に、サクラといのはうなずいた。

急ごしらえのチームだが、ともかく動き出した。

動けるのはいい。部屋で悶々《もんもん》としているよりも、ずっと気が楽だ。サクラは思った。

それに、

――サスケくんのために動ける。

サクラにとって、そう思えることは大きかった。

2

キドは焦《じ》れていた。

サスケの偽者《にせもの》を動かし、世界各地で目撃させるところまでは首尾《しゆび》よくいった。だが、肝《かん》心《じん》の本物のサスケが里に現れない。

――なぜ、戻らない……?

本物のサスケが、この状況を知らないはずがない。必ずどこかで耳にしているはずだ。

サスケの無反応が、キドには気に入らなかった。キドのやろうとしていることを、サスケは歯牙《しが》にもかけていない、という感じが、その無反応から匂《にお》ってくるからだ。

だが、キドは焦れつつも、一つ妙案を思いついていた。

この手を打てば、サスケが里に戻る公算が高まるだけでなく、もう一つキドの計画にとって好材料が生まれることになる。

「——次の手を打つ」

執務室《しつむ》で、キドは言った。マギレと、他に数名の幹部がいた。幹部は、暗部《あんぶ》の仮面をつけている。

「この女を——」

と言って、キドは右手を軽く振った。

一瞬後、壁に一本のクナイが突き刺さった。クナイは一枚の写真を壁に留《と》めていた。

「さらえ。サスケと同期の、春野《はるの》サクラという女だ。女が行方《ゆくえ》不明になった、というニュースがサスケの耳に入れば、サスケは里に戻るだろう」

「それなら、いっそ殺してしまうというのは？」

別の幹部が言った。

「やつにとっては、そのほうがインパクトが大きいでしょう」

「いや、殺さない」

キドは言った。薄く笑い、続ける。

「すぐにはな」

3

サクラといのの聞きこみは最初、難航した。

そもそも南賀《なか》ノ神社《じんじゃ》というところが、里のはずれに位置していて、周囲にあまり人家がない場所なのだ。

加《くわ》えて、大戦のすぐあと、という時期もネックだった。

大戦が終わって、もう二年以上が経《た》っている。人々の記憶も薄れかけている頃なのだ。

やっと実のある話を聞けたのは、二人が神社付近で聞きこみを開始して、三日目のことだった。

「暗部《あんぶ》の人なら見かけましたよ！　三人ぐらいいたかなあ！」

と、その人物――ロック・リーは言った。

「それって、時期は？」

サクラが聞くと、

「二年ちょっとくらい前ですかね」

リーはそう答えた。

「ボク、ランニングでたまにこの辺《あた》りに来るんですよ。今日もそうなんですけどね。ほら、ここって普段あまり人けのない場所じゃないですか。だからその日、暗部を見かけたことは記憶に残ってます。ま、でも、暗部は任務次第《しだい》でどこにでも現れますからね。特に怪《あや》しいとも思わなかったんですけど」

サクラはいのと顔を見合わせてうなずいた。

「サクラさんといのさん、なにを調べてるんですか？　ボクでよければ、スーパー力《ちから》になりますよ!?」

と、リーは言ってくれたが、サクラといのは、「うん、なにかあったらお願いするね」と、やんわりかわしておいた。

リーも、ナルトに似て突っ走ってしまう傾向がある。今、二人がやっている、証拠固《しょうこがた》めのような作業には不向きだろう、と思ったのだ。

夕刻、サクラたちはサイと落ち合い、今日一日の調査結果を報告し合った。

自宅へ帰る道すがら、サクラの足取りは軽かった。ささやかでも成果があったからだ。

少しずつでもキドを包囲していけば、それはサスケを救うことにつながる。そう思うだけで、サクラの気力は充実した。

「放せと言ってるだろ！」

突然怒鳴《どな》り声《ごえ》が聞こえ、サクラはびくりと足を止めた。家の近くの路地に差しかかったところだった。

サクラは路地を覗《のぞ》きこんだ。もう夜だったが、街灯の光がわずかながら届いているため、真っ暗ではなかった。

一人の男が、複数の男に地面に押さえつけられていた。押さえつけている男たちは暗部の仮面をつけている。

「いいから放せ！」

「黙れ！　お前にはテロの嫌疑《けんぎ》がかかっているんだ！」

「それは俺じゃないと言ってるだろう！」

言い争う声のうち、組《く》み伏《ふ》せられているほうの声にサクラは覚えがあった。

「サスケくん!?」

サクラは声を上げた。

「サクラか!?」

組み伏せられている男が顔を上げた。

やはりサスケだった。

「こいつらに言ってくれ。里に戻ってきたら、いきなり襲いかかってきたんだ。俺がテロリストを殺したなどと言って……」

放してあげてください、と言おうとして、サクラはその声を飲みこんだ。

「待って。ほんとにサスケくん？」

サクラは慎重《しんちょう》に聞いた。なにしろ今日までずっと偽者《にせもの》のサスケのことで考えたり、動いたりしていたのだ。どうしても疑心暗鬼《ぎしんあんき》になってしまう。

サスケは、はっと短く息を吐《は》いた。

「お前にそんなことを言われるとはな。同期の顔を忘れたのか。もっとよく見てみろ」

という一言《ひとこと》に、一瞬の魔が潜《ひそ》んでいた。

サクラが反射的にサスケの目を見返した瞬間、視界がぐにゃりと歪《ゆが》んだ。

――幻術……！

立っていられなくなった。が、それほど強い幻術ではなかった。乱されたチャクラをすぐに元に戻し、体勢を立て直した。

直後、背後に気配を感じた。

「――！」

振り返ろうとしたとき、首筋《くびすじ》にチクリとした痛みを感じた。

なにかの薬を入れられる感覚があった。膝《ひざ》に力が入らなくなった。がくりとくずおれ、うつ伏《ぶ》せに倒れた。

4

最初は、首の痛みだった。

その痛みを入り口に、徐々に意識が戻ってくるのを感じた。肩や腰に冷たくて固い感触がある。

不自然な体勢で床に転がされているのだ、とわかった。手足を動かそうとした。が、できなかった。

目をゆっくりと開ける。両手は後ろ手の状態で拘束《こうそく》され、両足首も同様に金属製の拘束具で固定されていた。

かすかな吐き気《はけ》があったが、しばらくして、それは去った。

なにもないコンクリートの部屋だった。がらんとしていて、広い。

正面に錆《さ》びた鉄の扉がある。窓はないので、ここが地下なのかどうかも定《さだ》かではない。

さらわれてから、どれくらいの時間が経過したのかもわからなかった。

拘束具を壊せないか、両手に力をこめてみた。だが、うまく力が入らない。

さらわれるときに、首になにかを注射された。その影響だろう。

鉄の扉には、小窓があって、そこから誰かが覗《のぞ》いているのが見えた。暗部《あんぶ》の仮面をつけている。

「起きたぞ。キド様にお知らせしろ」

その言葉のあと、別の者が走っていく足音が聞こえた。

キド様、と見張りの仮面は言った。ここはキドの持つアジトの一つなのだろう。

さらわれたときの記憶がよみがえる。

安い芝居《しばい》だった。里に戻ったサスケを暗部が取り押さえている。サクラの家の近くでそんなことが起こるはずがない。

サクラも、最初は怪《あや》しんだ。だが、一瞬の油断《ゆだん》があった。そして、忍《しのび》にとってその一瞬が命取りなのだ。

――ダメすぎる、私……。

サクラは目を閉じた。

見《み》え透《す》いた手に引っかかった自分が情けなかった。

複数の足音が聞こえてきた。

扉が開けられ、鷲鼻《わしばな》の男が入ってきた。隣には片眼鏡《かためがね》をかけた色白の男がいる。

鷲鼻の男は任務服の上にコートを羽織《はお》り、片眼鏡の男は白衣をつけていた。二人の背後には、仮面をつけた暗部の者が二人控えている。扉の外で、サクラを見張っていた二人だろう。

「あんたが、キド、ね」

サクラは鷲鼻に言った。声が、少しつっかえた。

「そうだ。春野《はるの》サクラ。貴様、うちはサスケの居所を知ってはいないだろうな？」

「サスケくんの、居場所？　こっちが、聞きたいわよ……」

声を出すには辛《つら》い体勢だった。芋虫《いもむし》のように転がされ、相手に見下ろされている。屈辱《くつじょく》がサクラの目つきを険《けわ》しくした。

「サスケくんの、偽者《にせもの》をでっちあげて、いろんなところで目撃させたのは、アンタね」

「そうだ。そうすればあの男が里に戻るんじゃないかと思ってな。しかし、戻らなかった。だから、お前をさらったのだ」

「サスケくんを、里に戻らせる、ために……？」

——私をさらった……？

「お前とあの男は同期。同じ班。大戦をともに戦った仲間なのだろう？　お前が行方知れ《ゆくえしれ》ずになったと聞けば、あの男も里に戻るだろう」

「ふん、どうかしらね。サスケくんって、すっごいクールだから、私が行方不明になったって聞いたくらいじゃ、里には――」

戻ってこない、と続けようとして、サクラの胸の奥に小さな痛みが走った。

――ほんとに、戻ってこないのかな、サスケくん。

――私が、いなくなったぐらいじゃ……。

戻ってきてほしい、と思った。だが、すぐにその思いを打ち消す。

だめだ。サスケが戻ってくるということは、こいつらの思惑《おもわく》にはまってしまうということ。だから、サスケは戻ってくるべきではない。

――だけど、戻ってこないってことは、サスケくんが私のことをそんなには心配してないってことだから……。

サスケを恋《こ》い慕《した》う気持ちと、サスケの身を案じる気持ちで、サクラの頭は混乱した。

「戻ってこないなら――」

と、キドが続けた。

「簡単な話だ。お前を殺すだけだ。死体が見つかったと聞けば、さすがのあいつも帰るだろう。せめて葬式ぐらいにはな」

「だったら、今すぐ殺してみなさいよ！」

怒《いか》りにまかせて手錠《てじょう》を引きちぎってやろうかと思った。だが、まだうまく力が入らなかった。

「無駄《むだ》なことはされないほうがいいと思います」

片眼鏡の男——おそらくこいつがマギレとかいう医療忍者だ——が言った。

「あなたの首に打った注射は、筋肉を痺《しび》れさせるのと同時に、チャクラの練成《れんせい》も困難にする薬です。そこで大人《おとな》しく寝ているほうが体力を無駄にせずにすみます。以上です」

「くっ……」

と、サクラは奥歯を噛《か》んだ。

キドが言う。

「今すぐには殺さない。こちらの理想は、あの男の目の前でお前を殺すことだからな」

サクラはキドの顔を見返した。

「サスケくんの前で……？」

「そうだ。そのほうが、あいつの眼の質がよくなる」

言って、キドはここに来て一番大きな笑《え》みを見せた。

「眼の、質……？」

——なにを、言っているの……？

キドは邪悪《じゃあく》な笑みを浮かべたまま言った。

「——うちは一族は愛深き一族だ。そして、その愛深き性向が、うちはの者に強い瞳力《どうりょく》を授《さず》けたということは、お前も知っているだろう？」

「……………」

「大切な家族、仲間、恋人——それが目の前で殺されれば、誰だって悲嘆《ひたん》にくれる。だが、うちは一族の場合はそれだけではない。あまりに深い悲嘆が、視神経に作用し、その眼に力を与える」

「……………」

「やつの悲しみや怒りや嘆《なげ》きは、やつの瞳力をさらに研《と》ぎ澄《す》ませるに違いない。だから、お前はあいつの目の前で殺す」

サクラは息を吸いこんだ。

「そんなことして、アンタたち、なにを……？」

「写輪眼《しゃりんがん》ドラッグ」

と、キドは言った。

「あの男の眼を材料にして、ドラッグを作るのだ。飲めば、誰もが写輪眼を使えるようになる薬だ。これは売れるぞぉ」

キドの「くっく……」という笑い声がコンクリートの床を這《は》った。

「見たこともないほどの金が、私のもとに集まる。金が、金が……！」

忍び笑いが哄笑《こうしょう》となり、部屋を満たした。

——この男……。

サクラは、キドという男に対して、初めて嫌悪《けんお》ではなく恐怖を覚えた。

5

ドアがノックされている。

サイはシャワーを止めた。

ノックの合間《あいま》に、サイ、と呼ぶ声も聞こえる。声は、いののようだった。

サイは下着をつけると、タオルで頭を拭《ふ》きながら、玄関に向かった。

ドアを開けると、いのが立っていた。

「サイあのね……って、ちょっと！」

いのの顔が一瞬で赤らんだ。

「な、なんで服着てないのよ！」

「ごめん、シャワー浴びてたから」

なんとなく、いのにならこの格好《かっこう》でもいいかと思ったのだが、よくなかったようだ。しかし、ただ怒るだけでなく、顔が赤くなったのは不思議だった。

「それより、どうしたの、こんな朝早くに」

サイが聞くと、いのは視線を戻した。まだ顔は赤いが、表情は緊張を帯《お》びている。

「サクラがいないの」

「サクラが」

サイはタオルを動かしていた手を止めた。

いのが言う。

「――今朝《けさ》は早めに心療室に行って、二人でまとめなきゃいけない書類仕事があったの。でも、サクラ全然来なくて。家にも行ったんだけど、いないのよ。チャクラを感知しようとしてみたけど、それにも全然引っかからなくて……」

サイは息を吐《は》いた。

「キドたちだろうね」

「私もそうだと思う」

「探そう」

サイは言って、部屋にとって返した。

素早《すばや》く任務服を着ながら、玄関で待ついのに声をかける。

「ボクらの調査を妨害したいなら、その場で仕留《しと》めればいい。サクラの姿がないってことは、あいつらに連れ去られたんだ」

準備が整《ととの》うと、いののところに戻った。

「カカシ先生には？」

「まだ」といのは首を振った。

「心伝身《しんでんしん》で伝えてくれる？」

サイが言うと、いのはうなずき、すぐに印《いん》を結んで術を使った。

ややあって、カカシといの、そしてサイの頭のなかが、心伝身の術を介《かい》してつながった。

〝先生、サクラがさらわれました〟

いのが状況を説明した。

〝サイと二人で今から探索《たんさく》に出ます〟

〝応援がいるか？〟

カカシの声が、二人の頭のなかに流れこんでくる。

〝と言っても今、任務で出払ってるやつが多くてな、すぐに動かせる人間は限られているが……〟

〝ボクたちだけでいいです〟

サイが言った。

〝サクラはきっとまだ生きています。でも、大規模な捜索《そうさく》で里が騒がしくなると、連中はすぐにサクラを殺してしまうかもしれません〟

〝すまんが、頼む〟

カカシは申《もう》し訳《わけ》なさそうに言った。

〝俺も行きたいところだが、さっき雷影《らいかげ》から無線が入った。サスケの指名手配の件で、いい加減五影《ごかげ》会談をしたほうがいいんじゃないかってな。ちょっと状況を話して待ってもらうつもりだ〟

〝先生はそっちの対応をよろしくお願いします。サクラはボクたちが〟

サイがそう言い、いのは術を解《と》いた。

「けど、探すって、どこを？」

いのが聞く。

「ここ十日ほど、キドを監視して、あの男が立ち回った先をいくつか知ってる。そこに行こう」

「だけど、向こうはサイが調査してることを知ってるんだよね？　てことは、サイが知ってそうな場所にサクラを閉じこめたりはしないんじゃ……」

サイはうなずいた。いのの指摘は的《まと》を射《い》ている。

「考えてることがあるんだ。ちょっと強引《ごういん》なやり方だけどね」

行こう、と言って、サイは動き出した。

第六章

1

写輪眼《しゃりんがん》ドラッグ。サスケの眼で、ドラッグを作る。

聞かされたおぞましい計画に、サクラは顔を歪《ゆが》めた。そして、その計画の一部に、自分が組みこまれていることに、サクラは怒《いか》りを覚えた。

だが、その怒りも長くは続かなかった。次に襲ってきたのは自己嫌悪《じこけんお》だった。

——なにやってるの、私……。

自分を責《せ》める気持ちが、あとからあとから湧《わ》いてきて、サクラの気力を奪《うば》っていく。

サスケのために動いている、という実感を噛《か》みしめていた矢先の、この失敗だ。

サスケのためになっているどころか、サスケの足を引っ張っている。

——また今度な……。

サスケはそう言ってくれた。

その「今度」を心待ちにしていた。

ところが今、自分の失敗のせいで、サスケが窮地《きゅうち》に立たされようとしているのだ。最悪だ。こんな形で再会するなんて、最悪だ。

サイ、いの、と心のなかで呼びかけた。

――もう私が捕まったことに気づいてる？　早く助けに――

そこで、サクラははっとした。暗い淵《ふち》に落ちていきそうだったところを、寸前でこらえた、という感じだった。

――なに言ってるの、私。

――早く助けに来て？

だめだ、と心のなかで強く断じた。だめだ、だめだ。

サスケやナルトと、第七班で一緒になったばかりの頃を思い出した。あの、弱かった頃の自分を。

――私、いつもナルトとサスケくんに守られてた。守られてばかりだった。

――そんな自分が嫌《いや》だった。だから、強くなった。

――あの二人の背中ばっかり見ていたくない。対等になりたい。だから……。

今の私は、と思った。あの頃の、弱い私じゃないか。

――絶望して、仲間の助けを期待して。こんなので、サスケくんと会う資格ないよ……。

『――お前、うざいよ』

から始まって、

『——また今度な……ありがとう』

そこまで来たんだ、私とサスケくんの関係は。

うざい自分に戻りたくない。サクラは思った。弱い自分には、もう戻らない——

やろう、今できることを——

「サスケくんが……」

サクラは、キッと顔を上げて言った。

「サスケくんが、あんたたちみたいなのに、やすやすと捕まると思う?」

「思う」

笑《え》みを消し、キドは冷然と言った。

その確信に満ちた態度が、サクラを一瞬ぞっとさせた。

「もとより勝算がないのに、あの男を里におびき寄せようなどとは考えない」

確かにあの男は強い、とキドは言った。

「それは認める。しかし、こちらも手練《てだ》れを用意している」

手練れ、という言葉で、サクラは思い出した。

サイが襲われたとき、相手は尾獣《びじゅう》のチャクラをまとっていたという。

「尾獣のチャクラを使う気ね」

サクラは言った。

「サイから聞いたか？　そうだ。厳密には尾獣ではなく、尾獣モドキだがな。それでもそこそこ戦える」

「そこそこ？　そんなので勝算なんて言葉、よく使えたわね」

「それで十分だ。勝てなくてもいい、殺せなくてもいい。こちらはあいつの体を拘束《こうそく》して、眼を奪えればいいのだ」

キドの落ち着き払った態度が、頭にくる。だが、いい流れだった。この会話を打ち切らせてはいけない。

「どうしても欲しいのね、サスケくんの眼が」

「そのために準備を進めてきたのだからな」

「終末《しゅうまつ》の谷《たに》でサスケくんの髪や血液を集めて、そこからチャクラを取り出し、偽者《にせもの》を仕立て上げた――そうなんでしょう？」

「さすがは医療忍者だな。察しがいい。――しかし、よかったじゃないか。そのおかげでお前は、偽者とはいえ、サスケに会えたんだ」

くっくとキドが笑う。

サクラはキドを睨《にら》んだ。

「偽者に会って嬉《うれ》しいわけないでしょ。大体ね、あんたたち知らないだろうけど、本物のサスケくんはもっとすらっとしてて、目元も涼しげで、声ももうちょっとだけ低くて、鼻《はな》筋《すじ》も通ってんのよ。アンタたちの作った偽者はクオリティが低いのよ、クオリティが」

「その偽者にだまされたお前が言っても、説得力はないがな」

「うるさい。似てないったら、似てな——」

「この男が、各地でサスケの偽者を演じていた男だ」

キドはサクラの声を遮《さえぎ》りながら言った。その言葉で、背後にいた二人の仮面のうち、一人が前に進み出た。

「お前をさらうときに偽《にせ》のサスケを演じたのも、こいつだ」

「それが……どうしたのよ」

「仮面を外《はず》してみろ」

キドが命じると、そいつは言う通りにした。

仮面が外され、サスケとは似ても似つかない男の顔が現れた。

と言って、キドはコートのポケットから白いカプセルを一錠《いちじょう》取り出した。

「そしてこれが」

「サスケのチャクラをおさめたカプセルだ。飲めば、一定時間、サスケと同じ色、同じ系統のチャクラをまとうことができる。――おい」

　キドはそのカプセルを、仮面を外した男に渡した。

「サスケに会わせてやれ」

　キドはサクラを横目で見ながら、男にそう命じた。

「やめなさいよ」

「わかりました」

「やめてったら」

　サクラの声にはかまわず、男はカプセルを飲み下した。そして、両手で印《いん》を結ぶ。

　ぼん、と煙が立ち、それが晴れると、そこにサスケが立っていた。顔はサスケ。チャクラも、サスケだった。

「――!」

　サクラはすぐに目をそらした。不覚にも、一瞬どきりとしてしまった自分を恥じた。

「どうだ。クオリティが低いかどうか、もう一度見てみろ」

　――誰が見るか。

　サクラは目を閉じて、キドやその男から顔をそむけた。絶対に見るものか。

　ややあって靴音がした。サクラのほうに近づいてくる。

サクラの近くで、誰かが立ち止まった。

薄く目を開けて、サクラはぎょっとした。偽のサスケがしゃがみこみ、サクラの顔を覗《のぞ》きこんでいた。

――近づくな！

サクラはまた顔をそむけようとした。

そのときだった。

偽のサスケが、サクラの髪を触《さわ》りながら言った。

「愛してるぞ、サクラ」

「――‼」

叫び出したくなるほどの悪寒《おかん》が全身を駆け抜けた。

サクラは偽のサスケを睨みつけた。

偽のサスケは、本物のサスケが浮かべるはずのない、下卑《げび》た薄笑いを口元に張りつかせていた。

「……！」

言葉が出てこなかった。全身に怒りが充満していた。

偽のサスケがキドのほうへ戻っていくのを、サクラは燃えるような目で睨み続けた。

偽のサスケは、変化《へんげ》の術を解き、また仮面をつけた。仮面で隠されるまで、男は薄笑いを浮かべていた。

「再会おめでとう」

キドが言った。サクラを屈服《くっぷく》させた、という満足感が、その声の底には滲《にじ》んでいた。

サクラは息を吐《は》いた。もう一度吸い、吐く。激しく波立っていた心が、少しずつ治《おさ》まっていくのがわかった。

やがてサクラは言った。

「……全然違う」

「……？」

キドが怪訝《けげん》な顔になった。

「やっぱり本物と偽者とじゃ、全然違う。……でもいいわ。アンタたちが悪趣味なもの見せてくれたおかげで、私のなかに十分すぎるほど溜《た》まったから。怒りと……チャクラがね」

そう言うとサクラは、キドと会話しながら密《ひそ》かに練《ね》り続けていたチャクラを一気に全身に駆《か》け廻《めぐ》らせた。

薬の影響で、普段なら短時間でできるチャクラの練りこみに時間が必要だった。

だから、サクラはなんとか会話を引き延ばそうとした。挑発的な態度をとり続け、キドとの会話を増《ふ》やした。

百豪《びゃくごう》の術をなしとげたサクラにとって、会話しながら、しかも相手に気取《けど》られずチャクラを溜めるのは難しいことではなかった。

チャクラは溜まった。そこに、悪趣味なものを見せられたことによる怒りも加わり、サクラの四肢《しし》に無双《むそう》の怪力がよみがえった。

「マギレ、もう一度薬を――」

「もう遅い！」

サクラが両腕と両脚《りょうあし》に力をこめると、手かせと足かせが同時に弾《はじ》け飛《と》んだ。

2

いのは、サイとともに街《まち》のはずれにある廃材置き場に来ていた。

二人でドラム缶のかげに身を隠し、道を挟《はさ》んで斜《なな》め向《む》かいにある、木造二階建ての建物を見張っている。

「あれはキド一派が持ってる隠れ家の一つだよ」

サイが教えてくれた。

「誰かと密談したり、誰かを匿《かくま》ったり、あるいは誰かを閉じこめたりするのに使ってるんだと思う」

キドを監視しているとき、キドは何度かここを訪れているのだと、サイは言った。

隠れ家には生垣《いけがき》が巡《めぐ》らされ、門の近くに暗部《あんぶ》の仮面とコートをつけた者が一人、周囲に視線を飛ばしていた。

「いの、あの建物からサクラのチャクラを感じないか調べてみて」

「わかった」

サイに言われ、いのは感知に入った。

建物のなかには、三人分のチャクラを感じた。だが、どれもサクラのものとは違っていた。

「いない。あそこにサクラのチャクラはないわ」

「そうか」

サイは気落ちした様子《ようす》もなくうなずいた。

「ねえ、ひょっとして、こうやって一か所ずつ、キドの立ち回り先を調べていくの？」

気になって、いのが聞くと、サイは「まさか」と首を振った。

「それじゃあ時間がかかりすぎる。それに、ボクの知らない隠れ家をキドが持っていたらお手上げになってしまう」

「じゃあ、どうするの？」

ここに来る前、「強引《ごういん》なやり方」をとる、とサイは言っていた。

サイは門番を指さした。

「幸《さいわ》い見張りは一人だ。あいつを倒しちゃおう」

「倒すって、え、いきなりバトル？」

「速攻でやる。いのは心転身《しんてんしん》であいつに入って。で、ボクの攻撃が届く寸前で抜けてくれればいい」

猪鹿蝶《いのしかちょう》ではよくやる、基本の連係技《わざ》だった。サイとやったことはないが、敵は一人、サイのスキルも信頼していたので、いのはためらわず「わかったわ」と返した。

印《いん》を結び、精神エネルギーを練《ね》る。

「じゃ、いくよ」

サイは言うや否《いな》や、ドラム缶のかげから飛び出した。

と同時に、いのは門番の忍《しのび》めがけて精神エネルギーを飛ばした。

——心転身の術！

術は成功し、いのは門番を棒立ちの状態にした。

拳《こぶし》を固めたサイが門番に肉薄し、一撃を見舞う——その寸前に、いのは「解《かい》!」と門番の精神から離脱した。

精神を取り戻した門番が、最初に知覚したのは、眼前に迫っていたサイの姿だった。

サイの拳が門番の腹を突き、門番はぐらりと前にのめった。その首筋《くびすじ》に、サイはさらに手刀《しゅとう》を落とした。

声もなく地面に伸びた門番を、サイは肩に担《かつ》ぎ上《あ》げると、いののところに素早《すばや》く戻った。

「こいつに聞こう。いろいろとね」

サイは言うと、門番を担いだまま歩き出した。

廃材置き場の奥まで来ると、サイは門番を地面に転がした。

辺《あた》りは廃材の山が点在しており、ちょうどいい目隠しになってくれそうだった。

サイは縄《なわ》を取り出すと、門番を後ろ手に縛《しば》り、足首にも縄をかけた。気絶したままの門番の上体を起こし、廃材の山に寄りかからせる。

そこで門番は目を覚ました。

「!　サイ、貴様……!」

「お静かに」

サイは落ち着いた声で言うと、門番から仮面を取った。

三十歳前後の男だった。怒った目で、サイといのを交互に睨《にら》んでくる。

「先輩にこんな無礼なことはしたくないんですが、時間がありません。ボクたちの質問に答えていただきます」

「……………」

男は声を出さず、サイから視線を外《はず》した。

サイが言った。

「昨日《きのう》、人をさらいましたね？　どこに隠しているんですか？」

男は顔をそむけたまま口を閉ざしている。

「先輩が積木《つみき》キドの一派であることはわかっています。春野《はるの》サクラをどこへやったんですか？」

男は、なおも無言だ。黙秘を貫《つらぬ》くつもりらしい。

「先輩、これ以上だんまりを通すなら、ボクも使いたくない手を使うことになります」

「拷問《ごうもん》か？」

と男が聞いてくる。口元は挑戦的に歪《ゆが》んでいる。

サイはあっさりとうなずき、

「ええ。ボクも、元暗部ですからね。口を割らせるためのいろんな手を知っています」

「上等じゃないか」

男は言った。

「俺も暗部だ。拷問に耐えるすべは知っている」

「役に立ちますかね、それが」

サイはそう言うと、クナイを取り出した。そしてためらいなく、男の服を切り裂いていく。男の上半身がほとんど裸《はだか》同然になった。が、それでうろたえるような相手ではなかった。

いのは緊張していた。

任務で尋問《じんもん》に立ち会ったことはある。そこで怒号《どごう》や恫喝《どうかつ》を聞いたことは何度かあるが、拷問となると経験がなかった。

血なまぐさい光景を見ることになるのだろうか、と身構《みがま》えてしまう。

サイは、超獣偽画《ちょうじゅうぎが》で使う筆をかまえた。

「いの、君は見ないほうがいい」

「……………」

なにをするの？　なにを描《か》くの？　虎《とら》に襲わせる？　それとも大蛇《だいじゃ》とかで体を締《し》め上《あ》げ

る？　それとも……。

凄惨《せいさん》な光景が次々と頭に浮かび、思わずいのは言ってしまう。

「ね、サイ。あんまり――」

ひどいことは、と続けようとしたとき、サイが筆を動かした。

こーちょこちょこちょこちょ……。

「ぶ……ぅわっはっはっはぁ！」

男が声を上げて笑い出した。

「……って、拷問ってそれー!?」

いのはつっこんだが、サイは真面目《まじめ》な顔で言う。

「時間がないときは、これが一番効《き》くんだよね」

「ほんとに？」

「うん。本で読んだ」

というやりとりの間も、サイは休まず筆で男をくすぐり続けた。

男は身をよじらせて笑い、のたうち回り、やがて口の端からよだれをたらし始めた。

頃やよしと思ったのか、サイが手を止めて聞いた。

「教えていただけますか？　先輩」

「……はい」

と、虚脱した顔と声で返した男には、もう暗部の凄味《すごみ》などみじんもなかった。

里の北東のはずれに、レンガ造《づく》りの倉庫がある。サクラはそこにいるはずだ、と暗部の男は言った。

すぐにサイが超獣偽画で鳥を出し、二人はそれに乗って目的の倉庫を目指《めざ》した。

サイの鳥に乗るのは初めてではなかったが、久しぶりなので、いのは一度バランスを崩《くず》しかけた。

「怖《こわ》かったらボクに掴《つか》まって」

サイが前を向いたまま言った。いのは一瞬胸の奥に甘い感情を覚えたが、すぐに頭を切り替えた。

「大丈夫」

鳥はかなりの速度を出している。

眼下の街並《まちなみ》みが、見る見る森や原野の緑に変わっていく。野生のトンビやタカともすれ違った。

「――見えてきたよ！」

サイが言って、二時の方向を指さした。

雑木林の向こうに、開けた土地があり、その一角にレンガ造りの建物があった。鳥はぐんぐんそこに近づいていく。

鳥が高度を下げていったときだ。

倉庫から数人、暗部の仮面をつけた者が飛び出してきた。

肉眼では見えないが、侵入者を知らせる結界《けっかい》が倉庫を覆《おお》うように張られていたのだろう。鳥がそれを破ったのだ。

出てきた暗部の者たちは一斉《いっせい》にクナイを放《はな》ってきた。無数のそれを、サイが鳥を巧《たく》みに操《あやつ》ってかわした。

一度上空で旋回《せんかい》し、鳥は再び倉庫に近づいていく。

「サクラーっ！」

いのは叫んだ。

「助けに来たわよー！」

その瞬間だった。

突然、倉庫の屋根を突き破って、なにかが飛び出してきた。

拳を突き上げた人影——飛び出してきたのはチャクラを全身に帯《お》びたサクラだった。

「サクラ!?」

鳥の背の上で、いのは素《す》っ頓狂《とんきよう》な声を上げた。

「おかしいな。助けに来たはずなのに……」

と、サイも目を瞬《しばた》いている。

3

「もう遅い!」

叫ぶと同時に、サクラは拳《こぶし》を固めて天井を見た。腰を落とし、膝《ひざ》のバネを溜《た》め、

――ぶち破って外に出る!

今いるこの部屋が地下にあるのか、地上何階かとかはどうでもよかった。

上に突き抜ける。それだけを考えた。

「取り押さえろ!」

キドが怒鳴《どな》ったが、サクラの動きのほうが速かった。

――桜花衝《おうかしよう》!

「しゃーんなろ――――!!」

サクラは天井めがけて跳躍《ちょうやく》した。チャクラの輝きを帯《お》びた右の拳がコンクリートの天井を粉砕《ふんさい》する。

天井を突き抜けた先は、だだっ広い倉庫のような空間だった。

——私、地下室に閉じこめられてたんだ。

という認識は、ほんの刹那《せつな》のこと。桜花衝の勢いのまま、サクラは倉庫の天井もぶち破った。

ぱあっと視界に空が広がり、解放感がサクラの胸に流れこんだ。そのとき、

「サクラ!?」

という声がした。

視線を右に振ると、サイの鳥が見えた。その背にサイといのがいる。

サクラは上昇の勢いを殺し、倉庫のすぐそばに着地すると、そこから大きく跳躍して倉庫から距離をとった。

鳥から飛び降りたサイといのも、サクラのすぐ隣に着地する。

「サクラ、無事だった?」

いのが聞く。

「うん、なんとかね。ていうか、いのたちも、よくここがわかったわね」

「キドの部下を一人絞《し》め上《あ》げた……んだけど、こうなってみると、サクラ一人でも問題なかったかな」

サイが苦笑した。

だが、サクラは厳しい表情のまま言った。

「ううん。来てくれてよかった。あそこにはキドとマギレもいるの。油断《ゆだん》しないで」

その直後だった。

サクラが突き破った倉庫の天井の穴から、キドとマギレも飛び出してきた。二人に続いて、数人の暗部《あんぶ》も。

サクラたち三人と、キド一派の十人ほどが睨《にら》み合《あ》う格好《かっこう》になった。

「噂《うわさ》に違《たが》わぬ怪力女だな」

キドがいまいましそうに言った。

「だが、逃がしはせんぞ。お前には、サスケの眼を磨《みが》く材料になってもらわねばならんからな」

「なってたまるもんですか、そんなもの」

「サクラ、なに？　サスケくんの眼を磨くって……？」

いのが聞いた。

「こいつら、サスケくんの眼を奪《うば》って、ドラッグを作るつもりなのよ」

「ドラッグ？」

「写輪眼《しゃりんがん》ドラッグ。飲んだら誰でも写輪眼を使えるようになる薬なんだって。こいつら、私をサスケくんの目の前で殺せば、サスケくんがショックを受けて、それがサスケくんの瞳力《どうりょく》を高めると思ってるのよ」

「……！」

いのは絶句した。

サクラは続けた。

「サスケくんの偽者《にせもの》も、こいつらは薬で作ってたの。変化《へんげ》の術でサスケくんの姿になった者に、サスケくんのチャクラをおさめたカプセルを飲ませてね」

「ついでにお前たちもサスケの目の前で死んでみるか？」

キドがにやりとして言った。

マギレも続ける。

「仲間が目の前で、一度に三人も死ぬ。相当な瞳力のアップが見こまれます。以上です」

「あんたたち……！」

いのが目を鋭くした。

「ドラッグね……」

サイが冷ややかな声を出した。

「じゃあ、ボクを襲ったやつらがまとっていた尾獣《びじゅう》のチャクラ。あれもドラッグの効果？」

「そうだ。尾獣ドラッグ」

と、キドは言った。

「終末《しゅうまつ》の谷《たに》で、サスケくんのだけじゃない、ナルトの髪の毛や血液も集めて、そこからチャクラを取り出したの？」

サクラが聞くと、

「半分はそれで正解だ。残りの半分は……企業秘密にさせてもらおう」

キドはにやりと笑った。

「なにが企業秘密よ。会社みたいなこと言って」

いのが笑い飛ばすと、キドがすかさず返す。

「会社さ」

「え……？」

「私は里を抜け、軍事会社を作る。世界規模のな」

「軍事、会社……？」

サクラが怪訝《けげん》な顔になると、サイが言った。

「そうか……紛争地域にドラッグを売るつもりか」

「そういうことだ」

キドは言った。

「飲めば尾獣のチャクラをまとえる、飲めば写輪眼を使える。そんなドラッグがあるなら、戦力アップを望む組織は、必ず欲しがるはずだ」

それだけじゃない、とキドは続ける。

「紛争そのものを私が作り上げることも可能だ。今回はサスケの偽者を仕立てたが、たとえば某国《ぼうこく》の要人の偽者を作り上げ、その偽者に、紛争を誘発するような行動をとらせる。結果、紛争が起きれば、その地域で私たちのドラッグが売れる。あるいは、ドラッグで強化した傭兵《ようへい》を売りこむという手もある。いずれにしろ、私たちに莫大《ばくだい》な利が転がりこむ。金が、うなるほどの金が、私の手に入るのだ……」

キドは言いながら、どこか恍惚《こうこつ》とした表情を浮かべている。

「ドラッグで得た力なんて、まがい物じゃない。みんながみんな、そんなものを欲しがるとは思えない」

いのが言った。

キドは、やれやれとかぶりを振る。

「まがい物ではなく、合理的選択と言ってもらいたいものだな。それに、欲しがる人間は必ずいる。強力な尾獣のチャクラと写輪眼を使えるようになるのだからな」

「ドラッグだけで強くなれるなんて錯覚よ。辛《つら》いことに耐えて、人は強くなる。一歩ずつ階段をのぼって、人は高みを目指すの」

サクラが言うと、キドは鼻を鳴らした。

「実に幼稚な論だな。時間をかけることを単純に善とする愚見《ぐけん》だ」

『子ども心療室』と、キドが言った。

「とかいうものを、お前たちは作ったな？　あれなども、私に言わせれば非効率、不経済の塊《かたまり》だ。子どもの心のケアだと？　そんなものに時間とカネをかけても軟弱なガキが増《ふ》えるだけだ。心が折れるようなガキは、所詮《しょせん》弱い人間だったんだ」

最後は吐《は》き捨《す》てるような口調だった。

「あのねぇ！　私とサクラは——」

と、いのが言いかけたが、

「いいのよ、いの。言わせておけば」

サクラはそれを制した。

「こいつには、人の心のことなんてわからない。まあ、わからないから、サスケくんをおびき出すのにも失敗したんだろうけどね」

言って、サクラは不敵に笑った。

「偽者を動かしても、サスケくんは里に戻らなかった。こいつはサスケくんの心を見誤《みあやま》ったってことなんだから」

サクラが言うと、キドの表情に苛立《いらだ》ちが走った。

「あの男は戻ってくる。お前たちをエサにすればな。――おい」

キドは背後に控えている仮面の配下に告げた。

「尾獣ドラッグを飲め。こいつらを確保するんだ。勢いで殺してしまっても、それはそれでかまわない」

キドの命令で、配下の者たちは一斉《いっせい》に動いた。暗部のコートを脱ぎ捨て、仮面も外《はず》す。

動きやすい任務服になると、彼らは口にカプセルを放りこんだ。

「お前らの言うまがい物の力がどの程度のものか、味わうがいい」

キドが言った。

サクラたちもすぐに動けるように適度な距離を置いて散開した。

と、そのとき、相前後《あいぜんご》してキドの配下の者たちのチャクラが大きくなった。

全員が薄紫色《うすむらさきいろ》のチャクラの衣《ころも》をまとい、その衣には尾が生《は》えていた。尾の数はまちまちだった。一本の者もいれば、二本の者もいる。その長さにも個人差があった。

「尾の数が、違うわね……」

いのが言った。

「一本より二本のほうが強いみたいね、チャクラの強さから見て」

サクラが敵を見比《みくら》べながら言った。

「尾の数は、本人が元々持っていたチャクラの量に比例する。興味があるなら、お前たちも飲んでみるか？」

キドが軽口を叩《たた》いた。

「気をつけて」

サイが言った。

「尾が一本でも相当強いから」

「わかってる」

サクラがうなずいたとき、キドが顎《あご》をしゃくった。

「やれ」

直後、尾獣のチャクラをまとった敵が殺到してきた。

第七章

1

襲いかかってきた敵は十人だった。キドとマギレは後方に退《しりぞ》いている。

応戦するサクラたち三人は、急造チームだが、それで連係がかみ合わないということはなかった。

敵に人数で劣《おと》るときの戦い方は、常《つね》に動き回り、そうしながらも仲間の背中を守る――頭で考えずとも、体が反応した。

敵の攻撃方法はさまざまだった。パワーで押してくる者もいれば、クナイや手裏剣《しゆりけん》にチャクラを帯《お》びさせて放《はな》ってくる者もいた。

風遁使《ふうとんづか》いもいた。油断《ゆだん》のならない斬風《ざんぷう》が、時折飛来する。そういう攻撃の一つひとつが、尾獣《びじゆう》のチャクラにより、さらに殺傷力を高めているようだった。

サクラは体術と拳撃《けんげき》で応じた。遠距離タイプの敵がいないので、攻めあぐねることはなかった。

いのは、こういう接近戦では通常後方に回ることが多かったが、今はそうも言っていられない。体術でサイをサポートしている。

不意に火球が飛んできた。人の頭ほどの大きさの火球がいくつも。右側からだ。

サクラは跳躍《ちょうやく》してかわした。

火遁《かとん》で攻撃してきたのは、地下室で偽《にせ》のサスケを演じた男だった。チャクラの衣《ころも》から尾が二本生《は》えている。

「またサスケの姿になってやろうか？」

そいつは言って、下品な笑《え》みを見せた。

「なってみなさいよ」

サクラは言った。

「私、嬉《うれ》しくて首に抱きついちゃうかも。そのまま絞《し》め上《あ》げるけどね」

「絞め上げるのはこっちだ！」

相手がチャクラの尾を一本伸ばしてきた。尾はサクラの体に届く寸前で、先端が手のような形になり、サクラの首を摑《つか》んだ。

「――！」

ぐいと体を持ち上げられ、つま先が地面から離れた。息ができない。

「便利だな。尾獣のチャクラってのは」

相手は腕組みをして、余裕《よゆう》ぶった笑みを見せると、もう一本の尾も繰《く》り出《だ》してきた。

重たい衝撃が腹に来た。尾のパンチを連続して浴びる。瞬間的な痛みはあるが、深刻なダメージはない。だが、体勢がよくなかった。このままサンドバッグ状態だと、いずれ決定打を浴びてしまうだろう。

サクラは両手――特に指先にチャクラを集め、首を摑んでいる尾に手をかけた。

「んっ！」と気合一発、引きちぎるようにしてその縛《いまし》めを外《はず》す。

「こいつ！」

地面に降り立ったサクラに、相手は尾の追撃を放ってきた。

サクラは身を低くしてかわし、相手の懐《ふところ》に飛びこんだ。ひじ打ちを見舞い、さらにアッパーを繰り出す。両方とも手応《てごたえ》え十分だった。

アッパーで浮かせた相手に対し、

「二度と！　サスケくんに！　化けないで！」

言葉とともに拳《こぶし》を見舞った。

「わかったわね!?」

フィニッシュは回《まわ》し蹴《げ》り。相手は白目を剝《む》き、声もなく倒れた。

倒れたあと、相手の体からチャクラの衣が消えた。どうやら意識が途絶《とだ》えると、チャクラの衣も消えるようだ。そこは一般的な忍術の仕組みと変わらないのだろう。

「気絶させちゃえば消えるみたいね、このチャクラ！」

いのとサイに告げると、

「効果の持続時間も、決まってるみたい！」

と、いのの声が返ってきた。

確かにそれは、サクラも自分の目で確認した。

気を失っていないのに、薄紫色《うすむらさきいろ》のチャクラの衣が消えてしまう者が何人かいた。

だが、そういう者はすぐさま新しいカプセルを口に放りこみ、尾獣のチャクラを復活させている。

「じっくり戦っても、チャクラを補充されるだけだ」

サイが言った。墨絵《すみえ》の虎《とら》を操《あやつ》りながら、自身も体術で交戦している。

「一気呵成《いっきかせい》にいこう」

そのとき、「きゃっ」と、いのが声を上げて転んだ。

敵の一人が尾で足払いをかけたのだ。二人の敵がクナイを持っていのに飛びかかる。

「いの！」

サクラが一人を拳で弾《はじ》き飛《と》ばし、もう一人はサイの飛び蹴りを食らって転がった。

いのが立ち上がる。

「大丈夫?」

尋《たず》ねたサイに、いのは「うん」とうなずく。そして、サイの腕に傷があるのを見て、なにも言わずそこに手をかざした。医療忍術により、傷口がふさがっていく。

サクラは拳を固めた。

——いの・サク・サイ。結構戦えてるじゃん!

内心で呟《つぶや》き、敵めがけてダッシュした。

2

気を失い、チャクラの衣《ころも》の消えた暗部《あんぶ》が累々《るいるい》と横たわっている。

部下全員を倒されても、しかしキドとマギレに動揺したそぶりはなかった。

倒れた暗部の向こうにいるキドとマギレを見つめて、サクラが言った。

「あの二人との戦いになったら、私がキドを向こうの森に誘いこむ。いのとサイは、残ったマギレってやつをお願い」

「無茶しないでよ、サクラ。三人一緒のほうが……」

と、いのが言いかけたが、サクラは首を横に振った。

「あいつらがどんな技《わざ》を持ってるかはわからない。でも、少なくともマギレってやつは医療忍者だから、回復系の術を持ってるはず。キドから回復役を引き離して戦うのは理があると思うの」

「だったら、ボクがキドのほうを引き受けるよ」

サイが言ったが、サクラはこれにも首を振った。

「こっちは医療忍者が二人。だったら固まらずに分かれたほうがいい。私は自分で傷を治《なお》せるし、サイの傷はいのが治せばいい」

サクラが言ってうなずくと、サイもややあって小さくうなずいた。

「わかった。サクラの言うやり方でいこう」

短い打ち合わせがすんだとき、いきなりキドとマギレが動いた。

その場から消え、次の瞬間、サクラたちに近いところへ着地した。

「お疲れのところを悪いが、次は私たちの相手をしていただこう」

「部下がみんな弱くてがっかりしてるなら、もっと顔に出してもいいのよ」

サクラが言うと、キドは小さく口元を歪《ゆが》めた。

「挑発は、基本的にするのもされるのも嫌いじゃないが……今は時間を優先しよう」

そう言うとキドはコートを脱いだ。任務服の立ち姿は、均整のとれた体だった。

――強い……。

と、サクラは思った。

金だ、利だ、とそんな話ばかりをする男だが、暗部の上層部まで出世するには、まずもって強くなければならなかったはずだ。その強さは、十分に感じとれる佇《たたず》まいだった。

一方のマギレは白衣を脱がない。そのままの姿で戦うつもりのようだ。

その直後だった。

――雷遁《らいとん》・散雫《さんだ》！

キドが腕を振り、無数の小さな雷光を放ってきた。

サクラたちは散開してそれをかわした。サイの虎《とら》は、その雷撃を食らい墨《すみ》に戻ってしまった。

サクラは着地するなり、右手に広がる森のほうへ駆け出した。

キドがこの誘導に乗ってこない展開も頭をよぎったが、サスケの眼を「磨《みが》く」ためにサクラを捕えたというなら、ここで簡単にサクラを離脱させたりはしないはずだ。

はたしてキドが追ってきた。

「私とマギレを離して戦う気か。うまくいくといいな」

サクラは無視して、さらにスピードを上げた。

巨木が織りなす森へ入っていく。幹を駆け上がり、枝から枝へ飛び移った。キドは、追走というより並走するような格好《かっこう》でついてくる。

頃合いを見て、サクラは一本の枝の上で止まった。

キドと対峙《たいじ》する。

視線がぶつかった。

風が森を抜けていき、サクラの髪を揺らした。

「では――」

と、キドが言った。

「始めようか……」

サクラはなにも言わず、右の拳《こぶし》を左の掌《てのひら》に打ちつけた。パン、と森に響《ひび》いた音が開戦の合図だった。

キドが枝を蹴《け》って距離を詰めた。

拳と蹴りを繰《く》り出《だ》し合い、両者は一旦《いったん》離れた。

キドが腕を振る。

――雷遁・散雫！

さっき見せた雷撃の礫《つぶて》がまた飛んできた。

サクラはかいくぐりながら枝から枝へ跳《と》び、キドに肉薄した。

——桜花衝《おうかしよう》!

と突き出した拳が、キドの胸に直撃した。

——よしっ!

ぐうっ、と苦悶《くもん》の声をもらしたキドの姿が、しかしバチバチと放電しながら消えた。

「——!」

サクラは内心で舌打ちした。雷遁影分身《らいとんかげぶんしん》を使われたのだ。

オリジナルのキドは、サクラの左斜《なな》め後方に移動していた。キドが両手で円を描くような動作で印《いん》を結んだ。

「食われろ!」

——雷遁・虎鋏《とらばさみ》!

山で獣《けもの》を捕るときに使う罠《わな》——虎鋏の形に似た巨大な雷光の円環《えんかん》が、サクラの体に食いつかんと飛来してきた。

サクラはよけなかった。

両の掌に分厚《ぶあつ》くチャクラを溜《た》め、口を閉じるように左右から迫ってくる雷光の刃《やいば》を受け止めた。刃は一旦勢いを止められたが、しぶとくサクラの体に迫ってくる。

「はあっ！」

だが、サクラの力のほうが勝《まさ》っていた。気合とともに力をこめると、虎鋏は弾《はじ》けて霧散《むさん》した。

「ほう」

キドが笑うのが見えた。

「虎鋏を弾くか。ならば……」

キドがポケットから紫色《むらさきいろ》のカプセル——尾獣《びじゅう》ドラッグを取り出した。

「……！」

サクラは息を吸いこんだ。

キドはサクラの視線を受けとめたまま、カプセルを舌にのせた。

3

キドがサクラの誘導で森のなかに消えても、マギレは表情一つ変えなかった。

「一応聞いておきますが、もし投降の意思があるなら、ボクたちは攻撃しません」

サイが言うと、マギレは片眼鏡《かためがね》の位置を直し、かすかに首をかしげた。

「言っている意味がわかりません。私には投降する意思もなく、またその必要もありません。私はあなたたちを倒し、キド様の加勢に向かいます。あるいはキド様があの女を確保して、こちらに戻ってくるほうが先かもしれません。いずれにせよ、あなたたちはここで倒されるのです。以上です」

マギレはそう言うと、両手を腰の後ろに回した。

次に現れたとき、両手にはクナイが何本も握《にぎ》られていた。

「……なにあのクナイ?」

いのが怪訝《けげん》な顔になる。

サイも見たことのないタイプのクナイだった。本来は鉄の刃である部分が、ガラス製の容器になっている。先端の尖《とが》ったその容器のなかには、なにか色のついた液体が揺らめいていた。確かめるまでもなく、中身は毒だろう。

マギレがクナイを放《はな》ってきた。

サイといのは左右に分かれて跳《と》んだ。クナイはすべて外《はず》れたが、マギレはすぐに両手を腰に回し、またクナイを摑《つか》んだ。無数のそれを暗器《あんき》のように体に備《そな》えているのだろう。

サイといのは、動き回って狙《ねら》いをつけにくくさせたが、マギレのほうも動いて、さまざまな角度からクナイを放ってくる。ときにはわざと頭上に投げて、時間差で命中させようともした。

いのが、前転を打ってクナイをかわし、起き上がりざまに印《いん》を結んだ。

——入ってみる。

と、その目がサイに伝えてきた。心転身《しんてんしん》の術を試みるようだ。

いのが術の準備をする間、サイが動いてマギレの目を惑《まど》わせた。

だが、術は失敗した。マギレに弾《はじ》かれたらしく、いのは顔をしかめてすぐに印を解《と》いた。

サイは巻物を広げ、筆を走らせた。

——超神偽画《ちょうしんぎが》、風神《ふうじん》・雷神《らいじん》！

二十メートル近い背丈《せたけ》の巨像が二体立ち上がる。周囲に影が落ち、暗くなった。

「もうこれ出しちゃうんだ！」

いのがサイのそばに駆け寄ってきて言った。

「出し惜しみしてるときじゃない。早くケリをつけてサクラのところに行かないと」

サイは言った。

風神が腕を振りかぶり、マギレめがけて拳《こぶし》を繰《く》り出《だ》した。

降ってきた巨大な拳を、マギレは後方に跳んでかわした。だが、そこに雷神が待《ま》ち構《かま》えていた。マギレの頭上に雷神の足が落ちる。地響《じひび》きが鳴り、土埃《つちぼこり》がもうもうと立ちこめた。

よけられなかったはずだ、とサイは思った。

ややあって土埃がおさまり、雷神がゆっくりと足を上げた。

いや、雷神が足を上げたのではなかった。下からその足を持ち上げる者がいたのだ。

「なにあれ……！」

いのが声をもらした。

雷神の足を片手で持ち上げているのは、マギレだった。

尾獣《びじゅう》ドラッグを飲んだようだ。薄紫色《うすむらさきいろ》のチャクラの衣《ころも》をまとっていた。

マギレが、ひょいと手を動かしただけで、雷神はバランスを崩《くず》し、ひっくり返った。地響きと土埃のなか、サイといのは、飛《と》び退《の》いて下敷きになるのを免《まぬが》れた。

倒れた雷神の胸に、マギレが飛び乗った。そこで初めてマギレの姿がよく見えた。

片眼鏡はどこかになくなり、白衣も脱ぎ捨てられていた。髪の毛が逆立《さかだ》ち、理知的な風《ふう》貌《ぼう》が凶暴に様変《さまが》わりしていた。そして、尾の数だ。六本生《は》えていた。どの尾も太く、長さも一メートル以上はあった。

マギレはその六本の尾を持ち上げ、雷神の胸に突き刺した。

一秒後、雷神の体が爆発し、墨《すみ》の飛沫《しぶき》と化した。

「私も——」

地面に降り立ったマギレが言った。

「出し惜しみしている場合ではありません。以上です」

言葉の直後、先端が鋭く尖《とが》っている尾が何本か伸びてきた。

狙われたのはいのだった。いのは反応して跳んだが、尾は途中で軌道を変え、いのを追った。

いのの体に一本の尾が届きそうになったとき、風神が間に入り楯《たて》となった。

風神の足に尾が刺さり、風神は弾けるように墨と消えた。

さっきの雷神もそうだが、刺されたから墨に戻ったのではなく、尾からなにかを——起爆性のあるチャクラのようなものを注射されて爆発したようだった。

マギレは攻撃の手を休めなかった。

六本の尾を自在に繰り出して、サイといのを狙い続けた。

また、尾だけでなく、自身の手で時折毒入りのクナイも投げてくる。サイといのはかわすだけで、いっこうに攻勢に移れない。

サイはわずかな隙《すき》をとらえ、渾身《こんしん》のクナイを一本放つ。が、マギレの肩口に向かったそれはあっさりとかわされた。

「サイ！」

突然いのが抱きついてきた。そのまま二人は転がった。

直後、サイが立っていた場所から、すさまじい勢いで尾が一本飛び出してきた。地中に潜《もぐ》ってサイを狙っていた尾を、いのが感知してくれたのだ。

「ごめん」

サイは言った。いのは、気にしないで、というふうに首を振った。

「まずいな。このままじゃジリ貧《ひん》だ」

サイが言ったとき、マギレが尾の先端を二人のほうに向けた。そこから光球が発射される。

二人は分かれて跳び、かわした。光球は地面に着弾し爆発した。

尾から直接流しこむだけでなく、それを弾丸として発射することもできるようだ。

――鳥を出して、上から攻撃するか……。

サイがちらりと空を見たとき、

〝サイ〟

と、いのが心伝身《しんでんしん》で話しかけてきた。

〝試してみたい作戦があるんだけど〟

〝作戦?〟

〝うまくいくかどうかわかんないし、ちょっと捨て身っぽいところもあるんだけど……〟

二人はマギレの攻撃をかわしながら交信を続けた。

〝……わかった。やってみよう〟

いのの説明を聞き終えると、サイはうなずいた。

視線を交《か》わし、同時に行動を起こした。

煙玉《けむりだま》を二人で投げる。煙幕が辺《あた》りに広がった。

マギレが言った。

「無駄《むだ》なことです！　以上です！」

マギレは六本の尾を振り回し、煙を攪拌《かくはん》した。煙幕が散らされ、目隠しの効果が消えていく。

煙が完全に晴れる直前、三頭の墨の虎《とら》が、マギレの正面から襲いかかった。

跳躍《ちょうやく》した三頭の虎は、マギレが尾から放った光球を浴び、すぐに墨へと戻った。が、その墨の後ろから、いのがクナイをかまえて現れた。

三頭の虎は捨て石。本命は、いののクナイ攻撃。しかもそのクナイは、マギレが放った毒入りクナイだ。

だが、マギレは冷静に応じた。尾の一本を振り、いのの横腹を打《う》ち据《す》えた。

「――！」

いのは吹っ飛び、地面に叩《たた》きつけられた。そして動かなくなる。

「いの！」

サイが叫びながらマギレに飛びかかっていった。クナイを逆手《さかて》に持ち、マギレに迫る。

マギレが尾で防御しようとした、その瞬間だった。

飛びかかったサイは墨に戻った。墨分身《すみぶんしん》のサイだったのだ。その墨がマギレの顔にばしゃりと降りかかった。

「くっ！」

一瞬虚《きょ》をつかれたマギレに、オリジナルのサイが向かっていった。

クナイを手に懐《ふところ》に飛びこもうとする。が、マギレの尾が縦横《じゅうおう》に振られ、牽制《けんせい》された。

サイは一旦《いったん》後方に跳び、再度踏みこもうとした。そのときだ。

六本の尾から夥《おびただ》しい数の光球が発射された。

弾幕のようなその攻撃を、サイはかわしきれなかった。脇腹《わきばら》にいくつか被弾してしまう。

熱感が傷口に広がった。サイは思わず膝《ひざ》をついた。

マギレが無表情に告げた。

「玉砕《ぎょくさい》覚悟の波状攻撃に出た勇気は讃《たた》えますが、あまりに無謀《むぼう》すぎたようですね。以上です」

「讃えてくれるだけで、嬉《うれ》しいよ」

言うやいなや、サイは地面を蹴《け》ってマギレに突進していった。

マギレは、尾による直接攻撃と光球の発射で迎え撃ってくる。

サイは痛みに耐えながらかわし続けた。

「しつこいですね。以上です」

マギレが、六本の尾を三本ずつに分けた。その先端を手のように変化させ、左右からサイの体を摑んできた。

脇腹の傷で反応が遅れたサイは、その六本の尾にがっちりと体を拘束《こうそく》された。

身をよじるが、まったく動けなかった。

「本当に……以上です」

マギレが言い、尾の一本をサイの体から離し、その先端をサイの眼前に据《す》えた。

光球が発射される前の小さな輝きが、尾の先端に宿った。

そのとき、マギレの背後から一羽の鷹《たか》が飛んでくるのが見えた。

鷹はその爪《つめ》にクナイを摑んでいた。マギレが使っていた毒入りクナイだ。

マギレが鷹の飛来に気づき、振り返った。

鷹はマギレの背に衝突する寸前で進路を変えた。掠《かす》めるように上昇に転じた鷹は、もうクナイを摑んではいなかった。

クナイはマギレの背に刺さっていた。

「解《かい》！」

と、いのが鷹のなかから自分の体に戻ってきた。うつ伏《ぶ》せに倒れた状態から、素早《すばや》く立ち上がり、サイのもとへ駆け寄ってくる。

「お前、たち……！」

マギレが初めて動揺の色を見せた。

「玉砕覚悟の波状攻撃……と見せかけて、野生の鷹を利用したトリックプレーでした。以上です」

サイが言って、薄く笑った。気絶したフリをして、鷹のなかに入る――いののアイデアに乗って正解だった。

いのも言う。

「サイが投げたクナイを、アンタはチャクラの衣で弾こうとせずにかわした。てことは、そのチャクラの衣はクナイの貫通を許すってこと。だったら不意打ちで毒入りクナイを打ちこんでみるのも手かなと思ったのよ」

ふ、とマギレが笑った。

「……得意がるのもいいですが、あなたたちは大事なことを忘れています。毒を使う者は、その毒で自分が死なないよう解毒薬《げどくやく》も持っている。私が今から解毒薬を打てば——」

「効《き》けばいいけどね、その解毒薬」

いのが不敵に笑った。

「……？」

「その背中に刺さったクナイ。クナイ自体はアンタのやつを借りたけど、中身の毒薬は、私の痺《しび》れ薬《ぐすり》と取《と》り換《か》えてあるから」

「……え？」

マギレが声を上げた。

煙玉で煙幕を作ったとき、サイは虎と墨分身を用意し、いのはクナイの中身を入れ替える作業をしていたのである。

いのの痺れ薬が効き始め、マギレの体が震え出した。

「馬鹿な、こんな、馬鹿みたいな手で……」

マギレの震えに合わせて、体を包むチャクラの衣も不安定になり始めた。大きく膨《ふく》らんだり、萎《しぼ》んだりを繰《く》り返《かえ》している。

サイは決めに行くことにした。

巻物と筆を用意し、もう一度巨像を描き出した。

——風神・雷神！

現れた二体の巨像がマギレを見下ろした。

巨像の影のなかで、マギレは怯《おび》えた顔になった。さっきまで威勢よく暴れていた尾が、今や六本ともしゅんとなって地面に伸びている。

雷神が足を振り出した。

すでに体の自由を奪《うば》われていたマギレが、その足をよけることはできなかった。小石のように蹴られたマギレは、地面を何度かバウンドして転がった。

止まったところへ、風神の足が落ちてくる。一瞬大地が揺れ、収《おさ》まった。

今度こそ仕留《しと》めたはずだ。サイといのは、風神の足元に駆けつけた。

風神が足を上げると、大地にめりこんだマギレの姿が見えた。完全に気を失い、尾獣のチャクラもなくなっていたが、

「死んではないわね。ギリギリだけど」

いのが言った。

「早くサクラのところに行かないと」

サイが言って、二体の巨像を墨に戻したときだ。黒い影が次々と近くに着地した。キド一派の援軍か、と二人は反射的に身構《みがま》えたが、そうではなかった。

「先生！　ナルトとヒナタも！」

いのが声を上げた。

任務服をつけたカカシ、ナルト、ヒナタだった。

「ヒナタとネジの墓参り行ってたら、火影《ほかげ》の服じゃねえカカシ先生を見かけてさ、なにかあったんだと思って追いかけたんだ」

ナルトが言った。

「雷影《らいかげ》と話したあと、お前らの応援に行こうと思って移動してたら見つかっちゃってさ。ま、もうすぐ結婚する二人に危険な任務もどうかと思ったんだけど、どうせ来るなって言っても来るからさ、コイツら」

カカシは苦笑交《ま》じりにそう言うと、地面に視線を向けて、

「……で、これがマギレか。きれいにプレスされてるな」

「よくここがわかりましたね」

サイが言うと、カカシは顔を上げた。

「でかいチャクラがぶつかり合ってるのはわかったからね、場所の見当はついた。あとは

ヒナタの白眼《びゃくがん》で」

「サクラちゃんは？」

ヒナタが不安げに聞くと、いのが答えた。

「今、キドと戦ってる」

カカシが森のほうに視線を向けて言った。

「あっちか……。急ごう」

4

キドが生《は》やした尾の数は——九本だった。

ただしそれは、チャクラの衣《ころも》から生えているものではなかった。

——これって……尾獣化《びじゅうか》してる……？

サクラは眉《まゆ》をひそめた。

尾獣ドラッグを飲んで、キドの体に起こった変化は、配下の者たちのそれとは大きく異《こと》なっていた。

薄紫《うすむらさきいろ》色のチャクラが爆発的に大きくなるところまでは同じだが、キドの場合は、それが硬い表皮のようになって全身を覆《おお》ったのだ。配下の者たちがまとった、半透明の膜《まく》のような衣とは明らかに違っている。

尾は九本だが、妖狐《ようこ》のようなシルエットでもない。獣《けもの》というよりは、紫色の怪人といったほうが表現としては正確だった。

「——あまり洗練された姿とは言えんが、ケタ違いに強くなったことだけはわかるだろう？」

キドが言った。

キドのこの姿自体はさほど恐怖ではない。が、キドが発散しているチャクラの量には圧倒された。

「そうね」

と、サクラは言った。

「一対一に持ちこんだこと、少し後悔《こうかい》してる」

「心配するな。なるべく殺さないつもりだ。ここではな。だが——」

その瞬間、キドの姿が消えた。

「——死んだらすまん」

という声は耳元で聞こえた。

「――！」

振り返る余裕《よゆう》はなかった。前方に跳《と》んだ。直後、ごおっという風を背中に感じた。キドが尾を振ったのだとわかった。

尾に打たれた巨木が倒れるメリメリという音が聞こえた。

サクラは太い枝に着地し、体勢を整《ととの》えた――つもりだったが、その足場だった枝が、キドの伸ばした尾によって破壊された。

サクラは宙に投げ出された。だが、地面には落下せず、横から飛んできた尾がサクラの体に直撃した。

バキバキと枝をへし折りながら、サクラの体は森のなかを吹っ飛んでいった。チャクラを全身に巡《めぐ》らせていなかったら、この一撃で戦闘不能になっていたはずだ。

巨木の幹に背中をぶつけ、サクラの体は止まった。そのまま幹を伝って落下しかけたが、すぐさまサクラは反撃に転じた。

幹を蹴《け》り、枝を蹴りながら、キドに正面から迫っていく。

「いい度胸だ！」

キドが尾を矢《や》継《つ》ぎ早《ばや》に繰《く》り出《だ》してきた。紫色の槍衾《やりぶすま》を、サクラは一髪《いっぱつ》の間合いで潜《くぐ》り抜《ぬ》け、キドの懐《ふところ》に到達した。

拳《こぶし》を胸《むね》に叩《たた》きこむ。

硬い表皮だった。反動でサクラの体まで壊れてしまいそうだった。だが、きちんと撃ちこめたという手応《てごた》えが拳には残った。

その証拠《しょうこ》に、キドの胸の殴《なぐ》られた部分に亀裂《きれつ》が入っていた。表皮のその部分が、小さな破片となってぽろぽろと剝《は》がれ落《お》ちた。

「おそろしいまでの破壊力だな。尾獣ドラッグで強化された私の体に傷をつけるとは。だが――」

とキドは不敵に笑った。

「これで振り出しに戻る」

亀裂の入った表皮は、みるみる修復され、元通りになっていった。

サクラは息を吞《の》んだ。

キドが言った。

「私とマギレを引き離したのは、あいつが医療忍者だったからだろうが……どうやら、なんの意味もなかったようだな」

尋常《じんじょう》ではない硬さと、自己再生能力を持った鎧《よろい》。それに加《くわ》えて、九本の尾が繰り出してくる予測不能の攻撃。

これはいよいよ、とサクラは思った。

――無謀《むぼう》だったかしらね……。

だが、この状況に持ちこんだのはサクラ自身だった。泣き言を言っている場合ではない。

「諦《あきら》めて、サスケの目の前で死ぬほうを選ぶか？　死に方としては、お前もそのほうが本望《ほんもう》だろう？」

「冗談」

サクラは小さく笑った。

「サスケくんの目の前で死ぬくらいなら、ここでアンタと刺し違えるほうを選ぶわ」

「刺し違える？」

キドがにやりと笑った。

「馬鹿力しか能のないお前が、どうやって私と刺し違えるというんだ」

「こうやるのよ！」

声と同時に、サクラは再《ふたた》び拳を繰り出した。

さっき亀裂の入った部分にもう一度拳を叩きこんだ。

手応えは、やはりあった。拳の当たった箇所《かしょ》に亀裂が入る。しかしその後の展開もさっきと同じだった。表皮が小さく剝がれ落ちたが、すぐに修復されていく。

「馬鹿力というか、こうなるとただの馬鹿だな」

キドが両手で印《いん》を結んだ。見たことのある印だった。

——雷遁《らいとん》・虎鋏《とらばさみ》！

牙《きば》の生えた雷光の輪が、サクラに食いついてきた。

これは受け止めきれない、とサクラは一瞬で判断した。ドラッグにより強化された術は、一度目に見たときに比《くら》べ、速さも破壊力も数段増しているのがわかった。

サクラはしかし、後退してよけることはせず、前方に飛び出し、雷光の輪をくぐるようにして虎鋏をかわした。背後でガチン！　と虎鋏が閉じたのがわかった。

サクラが踏みこむとは予想していなかったのか、キドはサクラの拳をまた胸に浴びた。

が、今度は亀裂が入らなかった。

「どうした、もうバテたか？」

「まだまだ！」

叫び返し、サクラはさらに拳を繰り出した。当たる。しかし、亀裂は入らない。さらに拳を引く。が、キドが言う。

「そう何度も殴らせてはやらんぞ」

尾が飛んできた。かわす。さらに別の尾が飛んでくる。かわす。が、次の尾に打たれた。

サクラは吹っ飛び、背中から巨木に激突した。強制的に肺の空気が吐《は》き出《だ》され、一瞬意識が飛びかけた。地面に落ち、しかしすぐに立ち上がった。

キドも地面に降り立った。

サクラは拳を固めてダッシュした。

キドの胸に拳を叩きこむ——頭にあるのはそれだけだった。

「猪突猛進《ちょとつもうしん》は早死にするだけだ」

キドは言いながら、尾を突き出して牽制《けんせい》した。サクラは次々にかわしていく。が、かわしているだけではキドの懐に飛びこめない。

尾が鋭く突き出された。それをサクラはよけなかった。ズン、と太い尾がサクラの腹を貫《つらぬ》いた。だが、かまわずサクラは走り続けた。

——私は死なない！

——忍法・創造再生《そうぞうさいせい》！

サクラの全身に百豪《びゃくごう》のチャクラがみなぎり、顔に紋様《もんよう》が浮かんだ。貫かれた箇所《かしょ》の細胞が急速に分裂し、傷を修復している。だが、尾は刺さったままなので、傷口がふさがるということはない。

「貴様……！」

キドが目を剝《む》いた。

尾に貫かれたまま突進してくるサクラに、一瞬だが怯《ひる》んだようだ。

サクラはキドとの距離を詰めると、拳を何度も繰り出した。ここまで肉薄できるチャンスはそうない。一発でも多く拳撃《けんげき》を叩きこみたかった。

サクラは連打した。だが、キドの体表にはやはり傷一つつかない。

「ええい、どけ！」

キドが、サクラを貫いている尾を大きく振った。

尾からサクラの体がずるりと抜けた。貫かれた腹の傷が、チャクラによってふさがっていく。

「互いに自己治癒力《ちゆりよく》が売りというわけか。だが、拳でしか攻撃できないお前にこの先なにができる？　時間切れを狙《ねら》っても無駄《むだ》だぞ。尾獣ドラッグのストックはまだいくつもある」

キドが、ふわふわと九本の尾を宙に浮かべながら言った。

「確かに、なにもできない。拳しかない私は、ただ拳を撃ちこむだけよ」

サクラは顔についた土を手で払うと、キドを睨《にら》み返《かえ》した。

「わからんな。続けても無駄なことを、なぜやめないのだ。純粋に私はそれが不思議でな作らせない。軍事会社も作らせない。その気持ちが……想《おも》いが朽《く》ちてないからよ！　だから私は、何度だってアンタに立ち向かう！」

「アンタをぶっ倒したい。サスケくんの眼でドラッグなんか作らせない。尾獣ドラッグも
サクラは言った。

「決まってるでしょ」

らない」


——だから私は、何度だってサスケくんに想いを告げる！

……ってあれ？

不意にサスケへの恋心が胸に浮かんできて、サクラは動揺した。

キドの硬い表皮を叩き続けていることが、何度想いを告げても報《むく》われないサスケへの恋を連想させたのだろうか。

——……うん。報われないなんてことない。

——私とサスケくんの距離は、少しずつ近くなってるはず。

『また今度な……』

そこまで来たのだから。

そして、このキドとの戦いもそうだ。サクラはまだ望みを捨ててはいなかった。

チャクラが続く限り、拳を打ちこむつもりだった。

「何度やっても結果は同じだ。私の体が傷つく前に、お前の拳が用をなさなくなる」

「悪いけど私――」

サクラは拳を固めると、言った。

「何度もアタックして跳《は》ね返《かえ》されるの、慣れてるから！」

サクラは駆け出した。

キドの眼前に到達し、拳を繰り出す。

――届け！　届け！　届け！

サクラは念じながら拳を叩きつけた。かわされようが、ガードされようが、とにかく同じところだけを打ち続けた。

一瞬、ガードの隙《すき》が見えた。逃《のが》さず拳を突きこんだ。いい感触のパンチが入った。

紫の表皮に、ぴしりと一条の亀裂が走るのが見えた。

――よし！

内心快哉《かいさい》を叫んだときだった。

キドが、突然口を大きく開けた。瞬間、サクラは危険を直感した。高密度のチャクラが、キドの口腔《こうこう》内に準備されているのがわかったのだ。

――まずい、これって……！

サクラは斜《なな》め後方に跳びながら、両腕を顔の前で交差させた。

――尾獣玉《びじゆうだま》ってやつ⁉

直後、キドの口からチャクラの塊《かたまり》が発射された。

体内で圧縮されていたのだろう、口の外に出た瞬間、球状の塊は直径一メートルほどに膨張《ぼうちょう》し、サクラに向かってきた。

直撃は避けられたが、半身が触れてしまった。そして、それだけでも凄《すさ》まじい衝撃だった。

尾で打たれたのとは比較にならないほどの衝撃を受け、サクラの体は森のなかを吹っ飛んだ。

太い枝を何本も折り、巨大な岩に当たってサクラは止まった。

地面に崩《くず》れ落《お》ち、すぐには立てなかった。息をするだけで、全身に激痛が走った。

四肢《しし》がちゃんと動くかを確認しながら、サクラは立ち上がった。

「もうやめておけ。その体では、次の尾獣玉はかわせんだろう。本当に死ぬぞ」

キドが言いながら、こちらに歩いてきた。

「やめ、ない……」

サクラは言った。声が少し掠《かす》れた。

「だって、もうちょっと、なんだから……」

キドが首をかしげた。

「もうちょっとだと？　どういうつもりだ。お前は立つのもやっと。私の体は無傷。絶望的状況とは、こういうのを言うんじゃないのか？」

「無傷？　どこが？」

サクラは小さく笑《え》みを浮かべた。

キドは怪訝《けげん》な顔になり、自分の胸に視線を向けた。そして、気づいた。

体表に走った亀裂が修復されず、その亀裂を中心に表皮の剝落《はくらく》が始まっていることに。

「なっ！　どういうことだ……！」

キドが狼狽《ろうばい》した。

「なぜ、修復が始まらない!?」

「だってその部分の細胞は、もう死んでいるから」

「死んでいる、だと……？」

その言葉の間にも、キドの胸の皮膚はぽろぽろと剝落し続けている。

「私の拳は、効《き》いていた。効いていないように見せかけていただけよ」

「……?」

キドが目を眇《すが》めた。

「私はアンタの体に拳を叩きつけながら、同時に回復のチャクラも流しこんでいたの。本当は、一瞬亀裂が入ったのを、即座に回復のチャクラで治していたってことね。だから、見た目には無傷で、私の拳はまったく効いていないように見えた」

「傷を治していた……?　なんのために……」

「もちろん、細胞の死期を早めるためによ」

サクラは言った。

「──傷が治るっていうのは、要するにその部分の細胞が新しく分裂して、傷口をふさぐっていうこと。だけど、体細胞は分裂できる回数に限界があるの。アンタの鎧は硬い。でも、むりやり細胞分裂させ続ければ、いずれ細胞は死に、そこを一点突破できる。創造再生の応用技《わざ》よ」

「馬鹿め。こんな傷ごときで、勝負が決まると思うなよ……!」

キドが怒《いか》りで顔を歪《ゆが》ませた。

サクラは拳を固めた。キドの言う通り、鎧の一部に穴をあけただけでは勝ちとはいえない。

――あと一発……！

その穴に渾身《こんしん》の、そして最後の一撃を叩きこむためにサクラは走り出した。

拳を引き、狙いを定《さだ》める。

視界のなかで、キドが口を開けるのが見えた。

――二発目の尾獣玉！

サクラはそれを読んでいた。

「はあっ！」

サクラはキドの十メートルほど手前で身を低くすると、地面に拳を叩きつけた。

大地が揺れ、キドがぐらりとバランスを崩した。その瞬間、サクラはキドの眼前に躍《おど》り出《で》た。

――本日二度目の……！

「しゃーんなろ――――！」

サクラの残りのチャクラすべてを乗せた桜花衝《おうかしょう》が、キドの胸に叩きこまれた。

完璧《かんぺき》な手ごたえが、サクラの拳に残った。それを裏付けるように、キドの体が巨木や巨岩をなぎ倒し、粉砕《ふんさい》しながら飛んで行った。

5

感じたことのない衝撃が胸に叩《たた》きこまれ、キドは飛んだ。

飛びながら、血を吐《は》いた。

血――。

その血が、キドの脳裏《のうり》に、記憶の断片を呼び寄せた。


血を吐いて倒れていた父。

――お父さん、お父さん！

ベッドの脇《わき》にうずくまっていた父に、キドと母が駆け寄った。


――どうして薬をやめてしまったんですか！

主治医が叱《しか》りつけるように母に言っている。

飲んでいるものとばかり思っていたんです。母は、胸に浮かんだはずのその言葉を最後まで口にしなかった。

たくさんの白いカプセルが、父の机の引き出しから見つかった。

カプセルは、中身が入っていなかった。ただのカプセルだった。

——あなたはすぐに薬飲むの忘れるんだから、ちゃんと私の前で飲むようにしてくださいね。

——ははは、わかったよ。

父は笑って、ほら飲むぞ、と母の前で白いカプセルを飲んだ。中身のない、空《から》のカプセルを。

——キド、よかったな。これでお前もみんなのように忍者学校《アカデミー》に行けるぞ……。

——うん、お父さん、ありがとう！

病《やまい》がちな体を押して、父は任務に出かけ、お金をためてくれた。

そのおかげで、キドは忍者学校《アカデミー》に行けるようになった。家計の苦しさから、忍者学校《アカデミー》進学を半《なか》ば諦《あきら》めていたキドにとって、それは福音《ふくいん》だった。

だが、事実は違っていた。

重い持病のある父には、欠《か》かしてはならない薬があった。

高価な薬だった。

父はその薬を飲むのをやめ——母やキドの前で空のカプセルを飲むことを続け、その薬代をためていたのだ。

父は自分の命を諦めて、薬代を息子《むすこ》の学費に回したのだ。

——よかったな、キド。

——ちっとも、よくないよ……。

父の遺影に向かって、何度も何度も言い続けた。

お金があれば、お父さんは薬を飲めた。

お金があれば、お父さんは死なずにすんだ。

お金があれば——

お金が——

第八章

1

激しい衝突音が何度も響《ひび》き、やがて森が静かになった。

サクラはキドが飛んで行ったほうへ歩き出した。

キドは、森の少し開けたところで、ずたぼろになって倒れていた。

サクラはゆっくりと、しかし警戒は解《と》かず近づいて行った。

意識がなくなったのだろう、キドは尾獣化《びじゅうか》が解け、任務服の姿に戻っている。

そのとき、頭上で、「サクラーっ！」と、いのの声がした。

見上げると、鳥が三羽飛んでいる。

その背中から、サイといの、そしてカカシ、ナルトとヒナタも飛び降りてきた。

「カカシ先生……、みんな……」

「遅くなってすまなかった」

カカシが言い、

「大丈夫だったか、サクラちゃん」

ナルトも言った。

「うん、なんとかね」

「よく一人で倒せたな」

カカシがキドを見ながら言った。

「もうフラフラですけど……」

サクラは言って苦笑した。実際、もうチャクラはカラッポに近かった。

「マギレは？」

聞くと、サイが答えた。

「ボクといので、なんとか」

「私の痺《しび》れ薬《ぐすり》で動けなくなってるけど、念のため、サイの分身が見張ってる」

いのがつけ加えた。

そのとき、気絶していたかに見えたキドが、「う……」とかすかな声をもらした。

「カカシ、か……」

「下手《へた》な真似《まね》はするなよ。ちょっとでも妙な動きを見せたら、俺が斬《き》る」

カカシが冷静に告げた。

キドが小さく舌打ちするのが聞こえた。

「サクラちゃん、こいつ、ミョーな薬作ろうとしてたんだって？」

ナルトが言った。

「そうよ。あんたやサスケくんの髪の毛とか使ってね」

「気持ちワリー」

と、ナルトが舌を出す。

「尾獣ドラッグに写輪眼《しゃりんがん》ドラッグか。確かに気持ちワリーが、しかし、そんなもんが世界に蔓延《まんえん》したらソートー厄介《やっかい》だぞ。悪党がお手軽に強くなっちゃあ、取《と》り締《し》まるほうも大変だからな」

カカシが言って、肩をすくめた。

「まあでも、写輪眼ドラッグは阻止《そし》できたわけだし」

いのが言い、

「尾獣ドラッグも、こいつらのアジトを一斉捜索《いっせいそうさく》すれば、すべて押収《おうしゅう》できるでしょう」

サイも言った。

「そうだな。あとは尋問《じんもん》部に引き渡して――」

と、そこでカカシが不意に言葉を飲みこみ、目を鋭くした。

「先生？」

と、訝《いぶか》るサクラたちに、

「結界班《けっかいはん》から心伝身《しんでんしん》の声が届いた」

カカシはそう言うと、こめかみに手を添《そ》えて、心伝身の相手とやりとりを交《か》わした。

「――わかった」

カカシは交信を終えると、サクラたちに言った。

「暗部《あんぶ》の仮面をつけたものが数名、里を抜けたそうだ」

「暗部が？」

カカシはうなずくと、キドに目を向けた。

「お前の手下か？」

キドは薄く笑って答えた。

「私のアジトには、私のチャクラや生命反応と連動した受信機が置かれている。私のチャクラが著《いちじる》しく減れば、緊急の警報が鳴る仕組みだ。それが鳴ったときは、速《すみ》やかに里を抜けろと部下には指示してある。ドラッグを持ってな」

「……用意のいいことで」

カカシは舌打ちした。

「部下だけが逃げていいの？　アンタは投獄《とうごく》されるのよ」

サクラが言った。

「戦いに敗《やぶ》れたのは私の責任だ。投獄は甘受《かんじゅ》する。だがその代わり、部下が里の外で尾獣ドラッグを広める。忍《しのび》の秩序は崩壊《ほうかい》し、治安《ちあん》は一気に悪化するだろう。それで私の溜飲《りゅういん》は下がる」

キドは言って、低く笑った。

「手下どもはどこに向かったんだ？」

カカシが聞いた。

「答えると思うか？　私が」

「思わない。だから——少し寝ててくれ」

カカシは言うと、キドの首筋《くびすじ》に手刀《しゅとう》を打ちこんだ。キドはあっけなく気を失った。

「すぐに追おう。結界班が言うには、連中は里の北側の結界を破って出たそうだ。サイ、鳥を」

はい、とうなずくと、サイは上空に待機させていた鳥を近くに呼んだ。

「ここには念のため、俺とナルトの分身を残していこう」

「了解」

カカシとナルトが印《いん》を結び、影分身《かげぶんしん》の術を使った。

生まれた分身に、「頼んだぞ」とカカシが告げ、サクラたちは鳥の背に乗った。

サイといの、カカシとサクラ、ナルトとヒナタ、というペアに分かれる。

鳥が上昇し、北に進路をとった。

「最後の最後でめんどくさいことしてくれるね、まったく」

カカシが溜《た》め息《いき》まじりに言った。

「追いつけるかな」

隣の鳥の上で、いのが不安そうに言った。

「尾獣ドラッグでチャクラを増《ま》していたら、かなりのスピードが出せる。微妙かもしれないね」

サイが答えた。

「ヒナタ、なにか見えたら言ってくれよ」

ナルトが声をかけた。

「うん!」

と答えたヒナタが、ややあって、「あっ」と声を上げた。

「十時の方向! 火が見えます!」

「火?」とカカシ。

「はい、それと、倒れてる人も……」

一行は鳥の進路をそちらに変え、さらにスピードを上げた。

やがてサクラたちにも見えてきた。

眼下の草原に人が何人も倒れている。その周囲では、かすかに煙も立ち上っているのが見えた。

「なにあれ!?」

いのが声を上げた。

「降りるぞ!」

カカシが言い、鳥の高度を下げた。

サクラたちは鳥の背から離脱し、地面に降り立つと、その場所に駆けつけた。

倒れているのは暗部の忍たちだった。

死んでいる者はいなかったが、全員がチャクラを乱されて意識が混濁《こんだく》している。幻術をかけられたということだ。

――幻術……!?

はっとして、サクラは辺《あた》りを見回した。

視界の奥の森――一瞬、人影がよぎったような気がした。ターバンとコートをつけた後ろ姿。

サクラは声を上げそうになった。

だが、まばたきする間に、その人影はもう見えなくなっていた。何度も目を凝《こ》らしてみたが、なんの気配もチャクラも感じ取れなかった。

——気のせい……？

——ううん。そんなはずは……。

そこへ、いのの声がした。

「ねえ、なんなの、これ？　なにが起きたっていうの？」

「ふむ。どうやら……俺たちが追いつく前に、こいつらを始末してくれたやつがいるらしい」

カカシが腕組みをして言った。

「始末してくれたやつって？」と、いの。

「お前らはわかってるんじゃないのか？」

カカシがいたずらっぽく笑って、七班に聞いた。

サクラは「はい」と微笑《ほほえ》み、ナルトは「へへ」と鼻の下をこすった。サイも、ピンと来たのか、にこにこと笑ってうなずいている。

火遁《かとん》の術の痕跡《こんせき》。幻術をかけられた暗部の者たち。そして——気のせいかもしれないけれど、一瞬見えた気がした、あの後ろ姿。

「えっ、ひょっとしてサスケくん!?」

いのが声を高くした。

「ま、そういうことだろうな」

「本物の？　マジで?」

「そりゃ本物だろーよ」

カカシが言って笑った。

「なによそれ。じゃあ、なんでサスケくん、ここにいないのよ」

「戻ったんでしょ、また旅に」

サイが言った。

「いやいや、水臭《みずくさ》いでしょ、それは。だって、ここから里、すぐ近くだよ？　寄っていけばいいのに。ねえ、サクラ」

「そうだね」

と、サクラは返したが、不思議と寂《さび》しさは感じなかった。

お前たちでなんとかしろ、とでも言うように、今回の事件に対して無反応を通していたサスケが、それでも最後には戻ってきてくれた。そのことがわかって嬉《うれ》しかった。

里に戻る途中で、サスケは尾獣のチャクラをまとった暗部の者たちと遭遇《そうぐう》した。交戦し、火遁と幻術で勝った。

写輪眼を使えば、相手の記憶を読むことができる。

サスケは、このなかの誰かの記憶を読んだのだろう。それでサクラたちがキドと対決したことを知り、さらにはキドのチャクラが激減したことを受けて、この暗部の者たちが里を抜けた、ということを知ったのだ。

ボスであるキドが倒されたのならば、自分はもうすることはない。旅に戻ろう。それでサスケはこの場を離れた――

ついさっきこの場で起きたであろうことを、サクラはそんなふうに想像した。

「なんだかなー。やることやって、さっさと消えるってのが、いかにもサスケって感じだってばよ」

ナルトが肩をすくめた。

「ほんとね」

とサクラもくすりと笑う。

だがそういう、「サスケらしさ」の余韻《よいん》のようなものを感じられただけでもよかった。

「しかし、キドもマギレもお前らが倒して、そろそろ俺の出番かなと思ったんだが、ここでも結局サスケに持っていかれたなあ」

カカシが残念そうにかぶりを振った。

「消化不良なら、先生。走って帰りますか？　ボクたちは鳥で帰りますけど」

サイが言うと、カカシは即答した。

「あ、そういう無駄《むだ》に熱いのはやめとく。なんか、ガイっぽいし」

火影《ほかげ》の軽口に、みんなが同時に吹き出した。

2

その後、積木《つみき》キドとマギレは、尋問《じんもん》部に身柄《みがら》を移された。

森乃《もりの》イビキを中心に、取り調べが進められたが、キドとマギレは最初から黙秘した。

よってイビキは、口頭での尋問から、相手の記憶を読む方式の取り調べにやり方を変えた。

情報部の専用の機械が用意され、山中《やまなか》一族の者が取調官として呼ばれた。

どれだけ口を堅《かた》く閉ざしていても、機械と術で記憶を読まれれば意味がない。

その結果、キド一派にまつわるさまざまなことが判明した。

里内にある隠れ家やアジトの場所。さらには、一派の構成員も。

隠れ家やアジトが割れたことで、尾獣《びじゅう》ドラッグはすべて押収《おうしゅう》されることになった。

ドラッグはシズネのところに持ちこまれ、キドとマギレの脳内から読み取られた情報と併《あわ》せて解析《かいせき》が進められることになった。

「――やはりあいつら、終末《しゅうまつ》の谷《たに》でナルトの髪の毛や血液も集めていたようだな。そこから尾獣のチャクラを抽出《ちゅうしゅつ》して、ドラッグを作ったようだ」

火影《ほかげ》室でカカシが言った。

机の前で、サクラ、いの、サイの三人が報告を受けていた。

「でも、それだけであんなドラッグが、しかも大量に作れるものでしょうか？」

サクラは言った。

「そこに関しちゃ、ネタがあった。あいつら、六道仙人《りくどうせんにん》の血縁者を探し当てて、無理やり尾獣ドラッグの研究と製造に協力させていたようだ」

「六道仙人の……？」

サクラが眉根《まゆね》を寄せると、カカシはうなずいた。そして、いのに顔を向ける。

「いのは覚えてないか、かつて雲隠《くもがく》れにいた金角銀角《きんかくぎんかく》という兄弟を」

「もちろん、覚えてますよ。大戦のときに戦いましたから」

と、いのが答える。

雲隠れの里の実力者だった兄弟の忍《しのび》。先の大戦において、穢土転生《えどてんせい》でよみがえり、いのたちの部隊と戦ったということは、サクラも知っていた。

「でも、それがなにか……？」

「金角と銀角は、かつて九尾《きゅうび》の肉を食って、尾獣のチャクラを得た。キドたちはそこからヒントを得て、尾獣ドラッグを思いついたらしい」

カカシは続けた。

「終末の谷で採取したナルトの個人情報物質。そこから取り出したチャクラは、それだけではドラッグにするには少量すぎる。だからそれを増《ふ》やしてやる必要があった。――これは、サクラやいののほうが詳《くわ》しい話だろうが、細胞を培養《ばいよう》するときには『培地《ばいち》』ってのが必要なんだよな？」

「そうですね。増やしたい細胞に栄養を与えたりする、土台のようなものですね」

サクラが言った。

「キドとマギレは、六道仙人の血縁者――まあこれは南の小国にいた青年なんだが、その人物をさらい、隠れ家の一つに閉じこめていた。そして、その人物に体組織を提供させ、それを培地にして、ナルトの尾獣チャクラを増やしていたんだ」

青年は最初、提供を拒《こば》んだという。当然だ。木《こ》ノ葉《は》とは縁もゆかりもない国で、非戦闘員としてごく普通の暮らしを営《いとな》んでいた青年なのだ。

だが、キドは脅迫と薬を用いて、青年の意志を挫《くじ》けさせた。抵抗できなくなった青年は、キド一派の監視下で、体組織の一部を提供させられた。

「その人は、今は……？」

サクラが聞くと、カカシは「心配ない」と答えた。

「あいつらのアジトに一斉捜索《いっせいそうさく》が入ったとき、無事に助け出されている」

「よかった」

サクラはほっとして、いのやサイと顔を見合わせた。

そこへ、カカシが言葉を継《つ》いだ。

「それからもう一つ——キドの記憶に潜《もぐ》っていた取調官からの報告がある」

だが、すぐには続けず、言葉を選ぶような間《ま》をとったあと、カカシは続けた。

「今回の事件の要因……と言っていいものかどうかはわからんが、キドの成育歴に関してだ。——積木キドは貧しい家に生まれた……」

続くカカシの話は、その一事だけを取り上げて見るならば、胸の痛む話だった。

息子《むすこ》を忍者学校《アカデミー》に入れるために、自分の薬を諦《あきら》め、偽《にせ》の薬を飲み続けた父親——辛《つら》い話だった。

木ノ葉隠れの里がある火《ひ》の国は、五大国のなかでは比較的国力の豊かな国だが、それでもこういうことが起きるのだ。

金への異常な執着《しゅうちゃく》。ドラッグによる軍事ビジネス。キドの幼少期に、今回の事件につながる要素は確かに見える。だが――

「だからといって、今回キドが起こした事件を、仕方のないことだった……と片付けることはできないけどね」

カカシの言葉に、サクラたちは神妙な顔になった。

難しい問題だった。こうすればいい、と一言《ひとこと》で言える類《たぐい》の問題でもない。

「ま、俺は火影《ほかげ》として、今後そういう目に遭《あ》う子どもが出ないような里作りを目指《めざ》すだけだな」

カカシはそう言った。


「私、『子ども心療室』作ってよかった」

火影の家を出ると、サクラはいのとサイに言った。

「キドの、子どもの頃の話を聞いて？」

いのに言われ、サクラはうなずいた。

「うん。やっぱり、子どもの心の傷って、放っておいちゃいけない問題なんだなって……」

最後の戦いの場で、キドは、『子ども心療室』を意味のないものだと否定した。そんなものを作っても、軟弱な子どもが増えるだけだ、と激しく言い立てた。

幼少期の辛い体験が、キドにそんな言葉を吐《は》かせたのだろう。

俺のときには、そんなものはなかった。甘ったれるな。俺は自力でそこを耐えたんだ、という苦々《にがにが》しい気持ちがキドにはあったのかもしれない。

だが、それを言うキドが、今回のような事件を引き起こしたのだ。そう考えると、なおさら子どもの心のケアの重要性が浮かび上がってくる気がする。

心の傷は取扱《とりあつか》いが難しいものだ。

サクラは、ちらりとサイを見た。サイも、過酷《かこく》な幼少期を過ごしている。戦災孤児となり、「根《ね》」に入ってからも、壮絶《そうぜつ》な訓練を強《し》いられた。辛い別れもあった。

出会ったばかりの頃、サイは感情のない機械のようだった。笑顔のない、というよりも、どういうときに人は笑うのか、それすらもわからなくなっている少年だった。

そのサイも、今はちゃんと笑う。ちゃんと怒る。サイの心の傷に寄り添う仲間がいたからだ。

サスケも、とサクラはその旅人のことを思う。

一族の悲劇という、あまりにも大きな運命に翻弄《ほんろう》された少年期だった。憎しみにからめ取られそうだったサスケを救ったのは、ナルトをはじめとする里の仲間だった。

『子ども心療室』も、そういう仲間のような存在になればいい、とサクラは考えていた。気楽に訪れて、なにかを話す。話すのが苦手《にがて》なら、苦手でいい。なにか言葉が出てくるように、こちらから働きかけてもいいし、なにかを言い出すまで待ってあげることもできる。そういう場。

「子どもたちが、みんな笑ってるような里にしたいな。難しいかもしれないけど」

サクラは言った。

難しいかもしれない。けど、やらなきゃ、という思いを強くした今回の事件でもあった。

「そうだね」と、いのが言い、サイも微笑《ほほえ》んだ。

「サクラ先輩」

と、そこへ声がかけられた。

振り返ると、木ノ葉病院で働く後輩の医療忍者が駆けてくる。以前会議で、心療室の効果を報告してくれたくノ一だ。

「砂隠《すながく》れの医療関係者から、『子ども心療室』について、いくつか問い合わせが来てるんですけど」

その後輩は言った。

「そう。じゃあ、行くわ」

サクラがそう答えると、「私も行こうか？」と、いのが聞いてくる。

そうね、と、答えかけたサクラだったが、すぐに思い直した。

「んー、大丈夫。私がやっておくから」

「でも」

と言ういのに、サクラはそっと耳打ちした。

（いいから。アンタはサイと二人でご飯《はん》でも行ってきなさいよ）

（ちょっと……）

変な気回さないで、と顔を赤らめるいのに、「いいから」とサクラは繰《く》り返《かえ》した。

（いの・サク・サイは今回だけ。また正規の班ごとで任務にあたるようになったら、二人きりになれる機会減っちゃうよ？）

というサクラの指摘で、いのの気持ちも固まったようだ。

「うん、じゃあ……」

と、うなずくいのに、

「またね」

サクラは手を振って、踵《きびす》を返した。

――余計なおせっかいだったかな。

後輩と病院のほうに向かいながら、サクラは一度後ろを振り返ってみた。並んで歩くサイといの。時折見える二人の笑顔は、いつか見たナルトとヒナタに似た雰囲気があった。

ラベンダーとハナミズキ。

いのがどちらを選ぶかはわからないけれど、答えは意外に早く出るかも、とサクラは思った。

――頑張《がんば》って、いの。

心のなかでエールを送った。

少し前のサクラなら、焦《あせ》っていたところだろう。

みんなは恋を成就《じょうじゅ》させているのに、自分だけは、というふうに。

今はもう違う。

『また今度な……』

その「今度」は、きっと来る。もうそこまで来ている、とさえ思える。

サスケが帰ってきたら、今回の一件について、いやそれ以外のこともだ、話したいことがたくさんある。

——サスケくん、おかえり。

——私ね……。

——ただいま、サクラ。

NARUTO-ナルト-
サクラ秘伝　思恋、春風にのせて

2015年4月8日　第1刷発行
2020年8月29日　第7刷発行

著　者　岸本斉史◎大崎知仁
編　集　株式会社　集英社インターナショナル
〒101-8050　東京都千代田区一ツ橋2-5-10
TEL　03-5211-2632(代)
装　丁　高橋健二(テラエンジン)
編集協力　添田洋平(つばめプロダクション)
編集人　千葉佳余
発行者　北畠輝幸
発行所　株式会社　集英社
〒101-8050　東京都千代田区一ツ橋2-5-10
TEL　03-3230-6297(編集部)
03-3230-6080(読者係)
03-3230-6393(販売部・書店専用)
印刷所　共同印刷株式会社

Printed in Japan　ISBN978-4-08-703354-0 C0093
検印廃止

本書は書き下ろしです。

JUMP j BOOKS：http://j-books.shueisha.co.jp/

本書のご意見・ご感想はこちらまで！
http://j-books.shueisha.co.jp/enquete/